文芸社セレクション

# 「無」「有」テイスト

## —「見つけました、魂を」を再び考えて—

町山 青
MACHIYAMA Midori

文芸社

# はじめに

この書は、『「無」「有」テイスト』という題の「見つけました、魂を」を再び考えて、というものである。故に、「見つけました、魂を」の見解が、全体を占めている。

再び考えて、の途中で哲学とは直接関係ないものも、記してあるが、それはそれで、ある論を満たすため、必要と私が判断したからのことである。お読みになりたくなければ、飛ばしてくれても構わない。この書が、豊かで・楽しいものになっていれば、幸いで、これに越したことはない。この書の構成は、2・3は、哲学部分であり、他の1・4は軽いタッチで書かれたものと、なっている。そのような構成にしたのは、私の二冊目の著書である『不真面目な哲学者』（8年前の作品であるが）で、〝次回は、このような哲学書にする〟と断言したからであり、今の私もそれを、望んでいるからである。

ここにて、感謝を伝えたい。この書を創る依頼をうけたのは、6、7年前のことである。このことを、依頼者である出版社・文芸社さんに、文化出版部の小野幸久様、今の担当者である小野さんと担当を途中で変わられた、大内友樹様に、深くお詫びと感謝の気持ちで、一杯である。「大変、出来上がりが遅くなり、申し訳ございません。作品創りを、私の自由にさせていただき、ありがとうございました。」

文才がないため、哲学力もないため、読み苦しいかと、思われるが、お許し下さい。なぜ、6、7年の歳月がかかったかと言うと、仕事をしながら、その休みの時に書いていたこともあり、思うように進まなかったのである。平成30年の3月31日をもち、退社し、この書に専念したのである。自らとして、好きな書と感じられないのであるが、どうか、望むところ、皆様には、好まれる書であることを願う次第である。

自ら、哲学者と名乗っているが、とんでもない！　哲学知らずの、大馬鹿野郎である。でも、哲学者であることは、こう言おうとも、否定はしないものである。それどころか、私は芸術家である、と言ってのけるほどのものだ。馬鹿を突き抜けている。だから、「見つけました、魂を」をメインで記載してある、『ほら、ね！』の〝はじめに〟にて、〝超大天才哲学者〟と言いのけてあるのである。頭がおかしくなって、いるのである。どうか、お許し願いたい。

小生のような者が、書いたこの書を、読んでよかったと、思われることを、願う次第である。この書を手にした読者の方は、どんな方であろうか。お元気ですか？　でなければ、この書を読んで頂き、穏やかになられることを、願います。

この書の哲学部分は、「見つけました、魂を」を読まれないと、理解されないものである。であるからに、「見つけました、魂を」を記載してある、『ほら、ね！』の「見つけました、魂を」をお読みになり、『ほら、ね！』を手にして頂き、この書を読まれたい。『ほら、ね！』を、是非とも、手にされることを、勧める次第である。

それと、この書で書いているることは、色んな影響、生きている影響を免れないと理解します。触発されることは、避けられないと思うので、……。言い訳ですが、だから、全部受け売りです。

では、お読みください。

平成30年7月1日　日曜日

# 目次

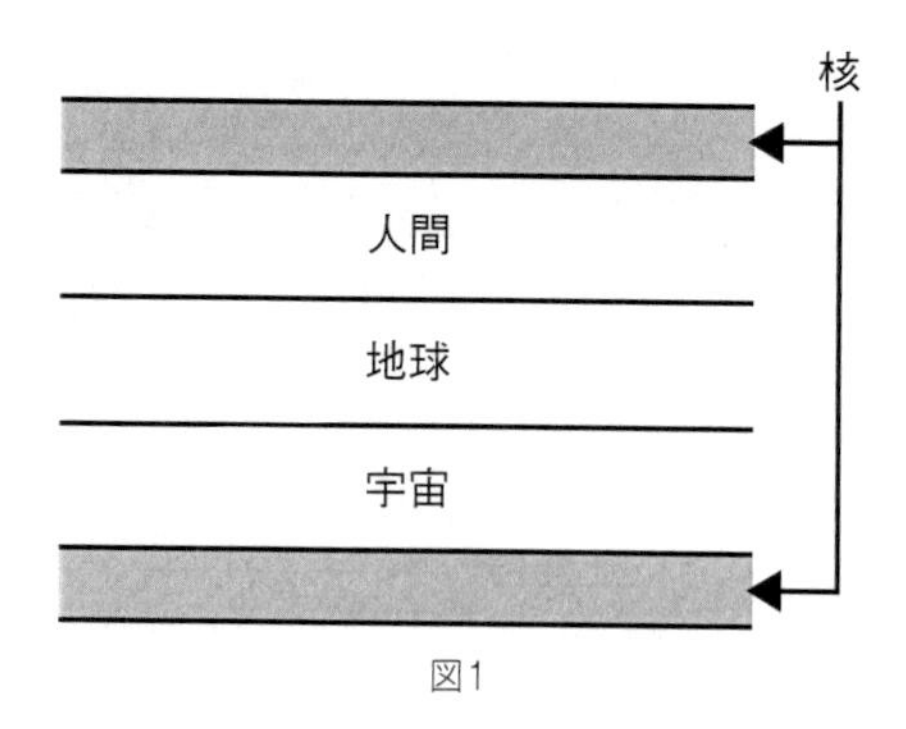


図1

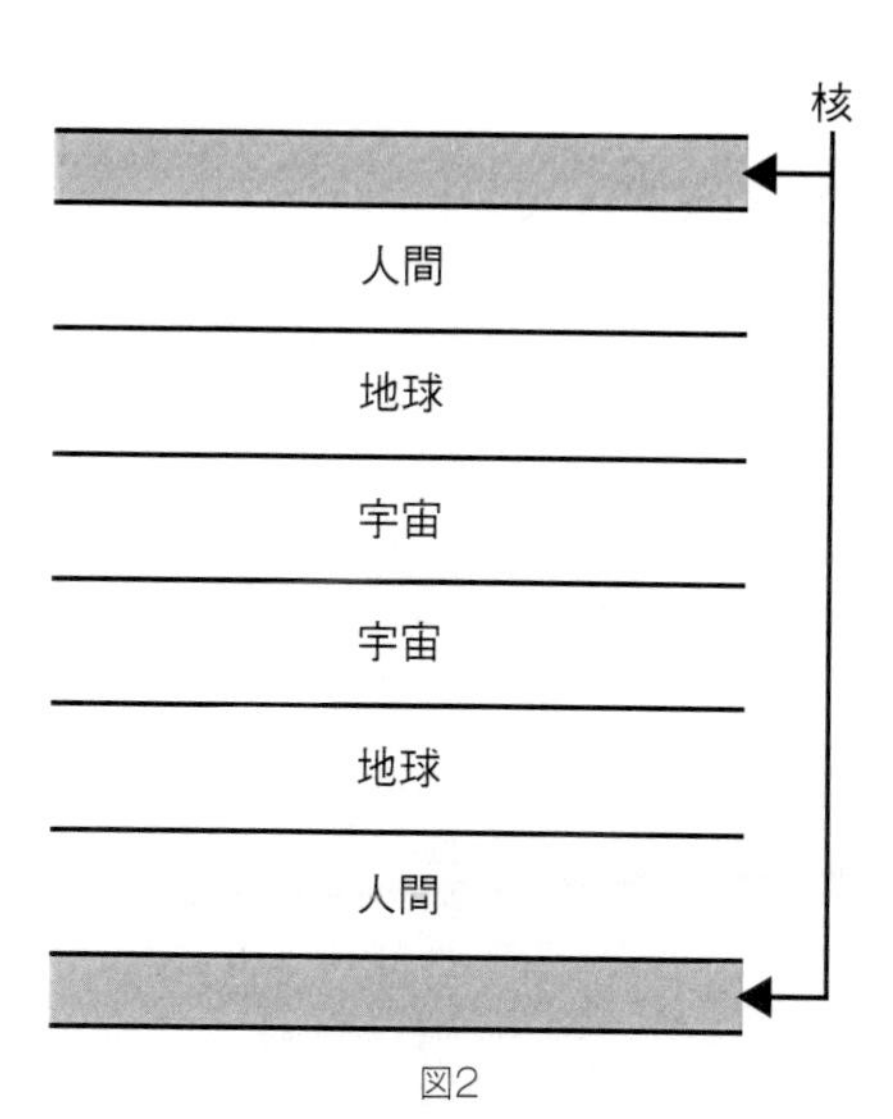


図2

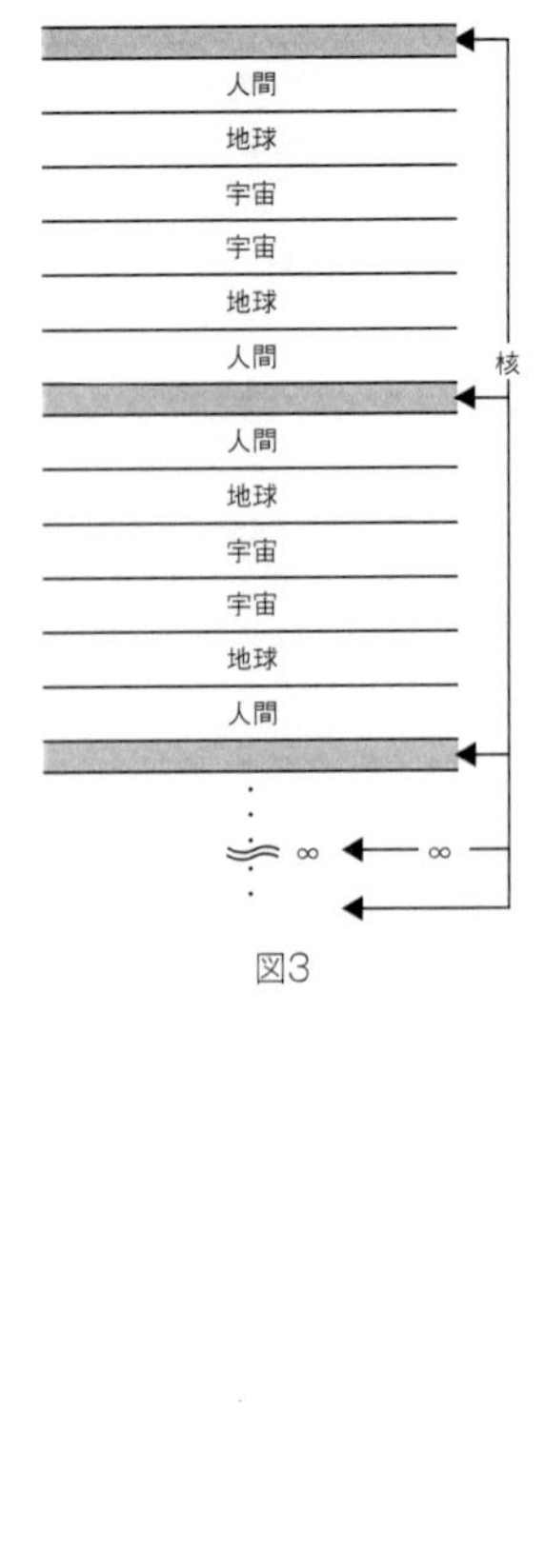


図3

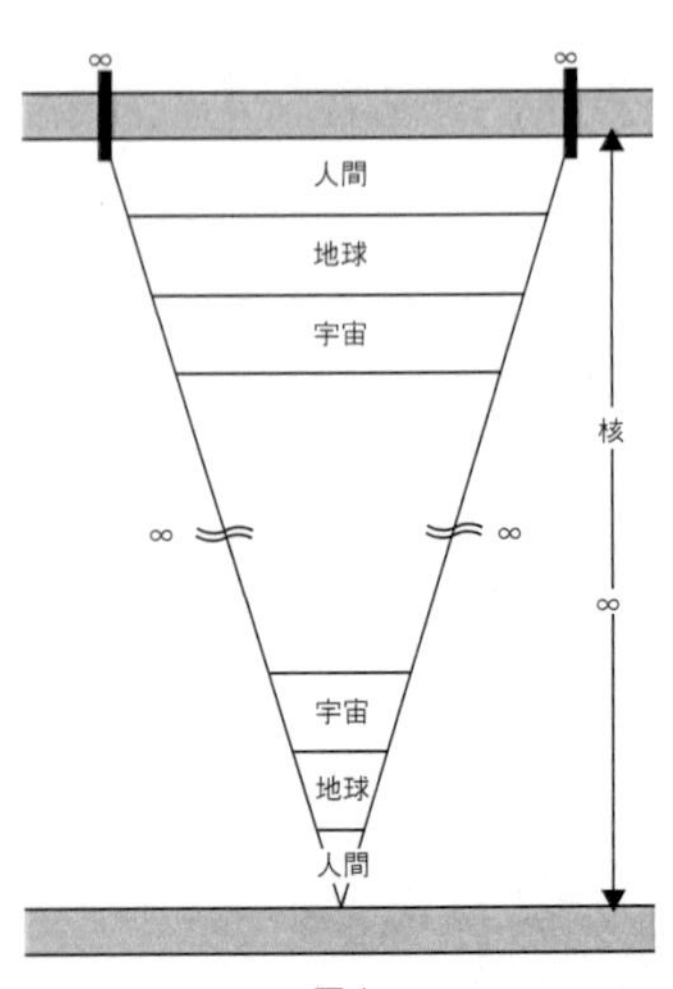


図4

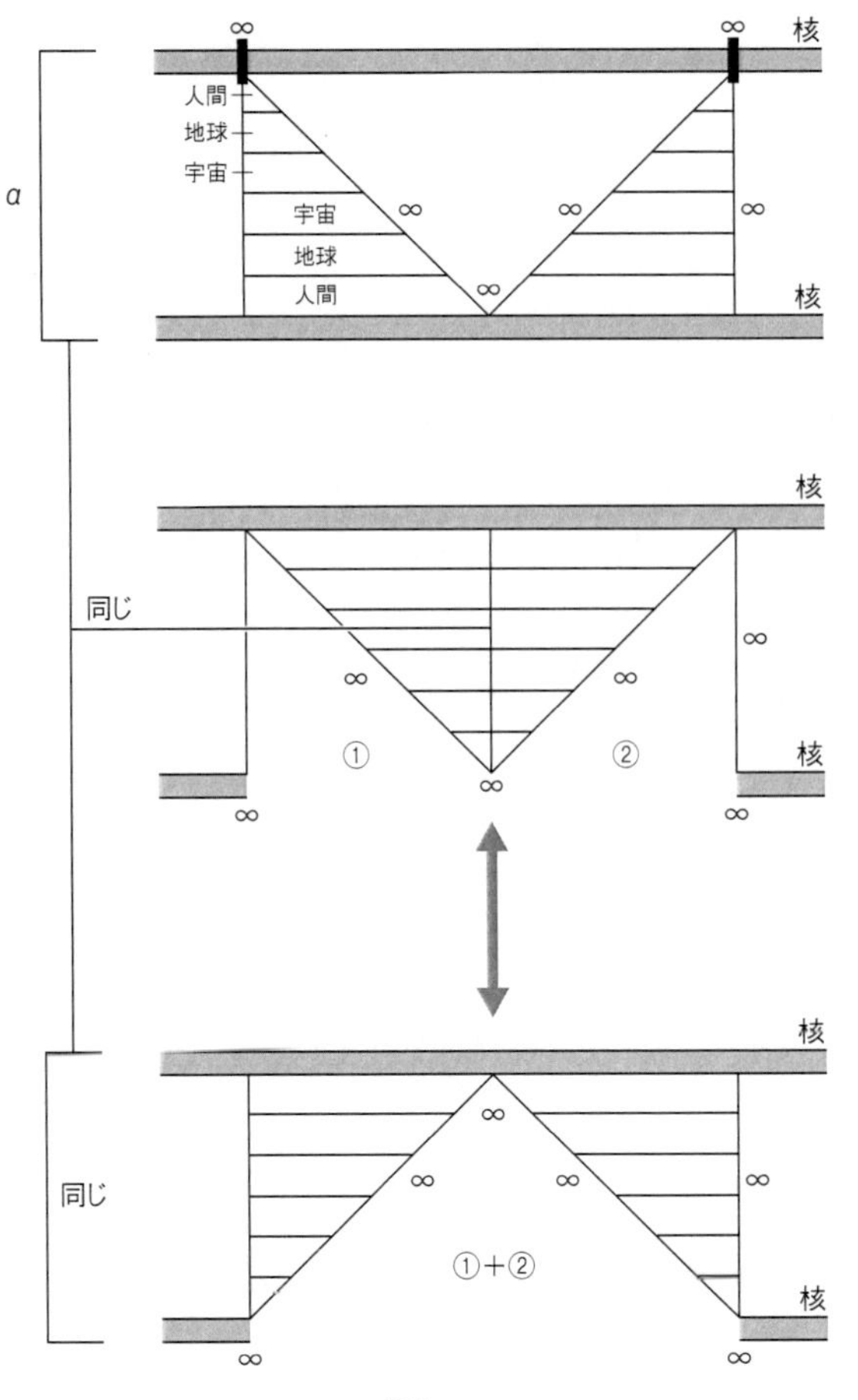


図4 $a$

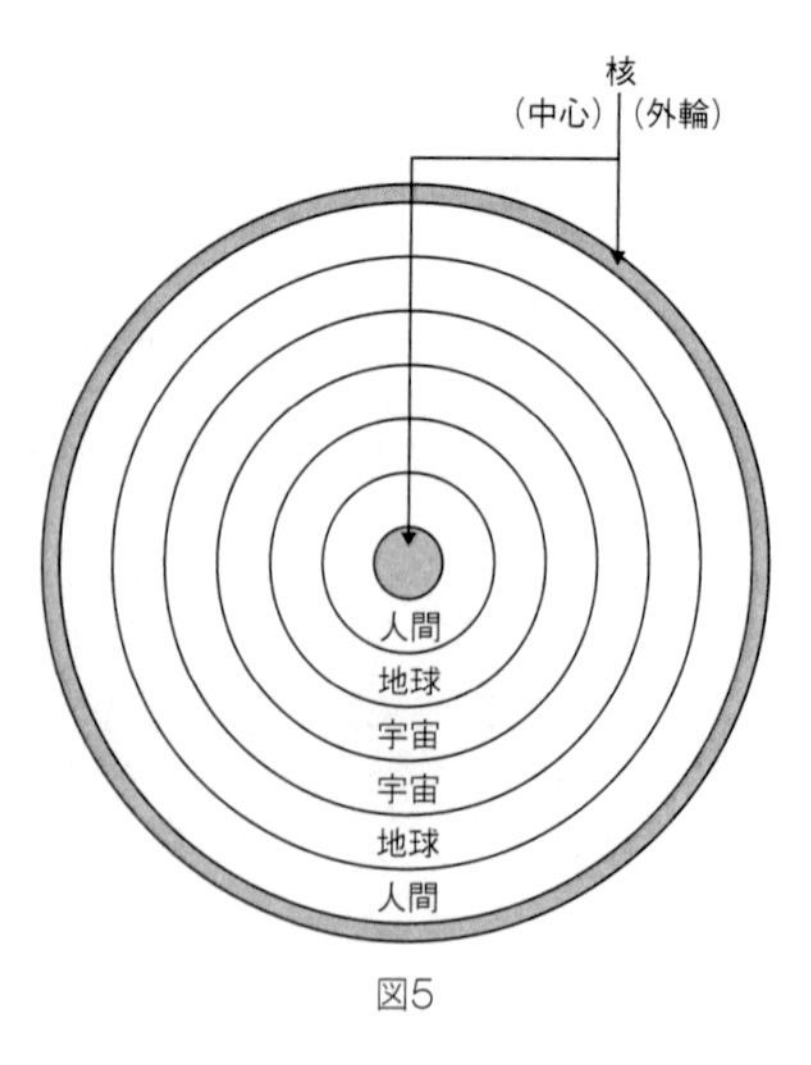


図5

図6

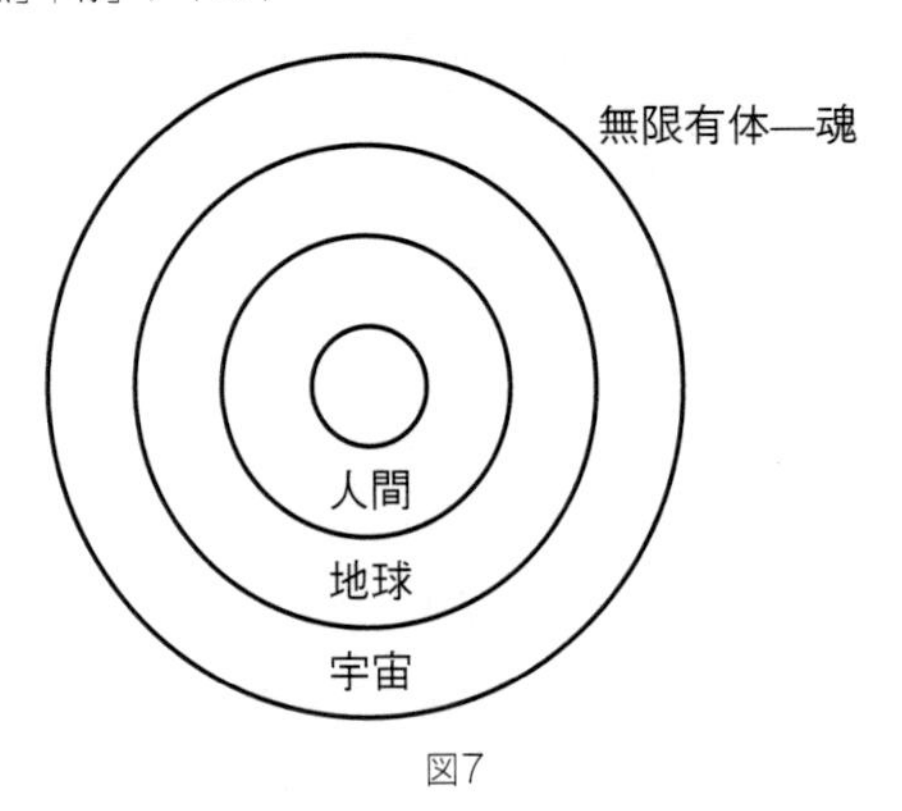


図7

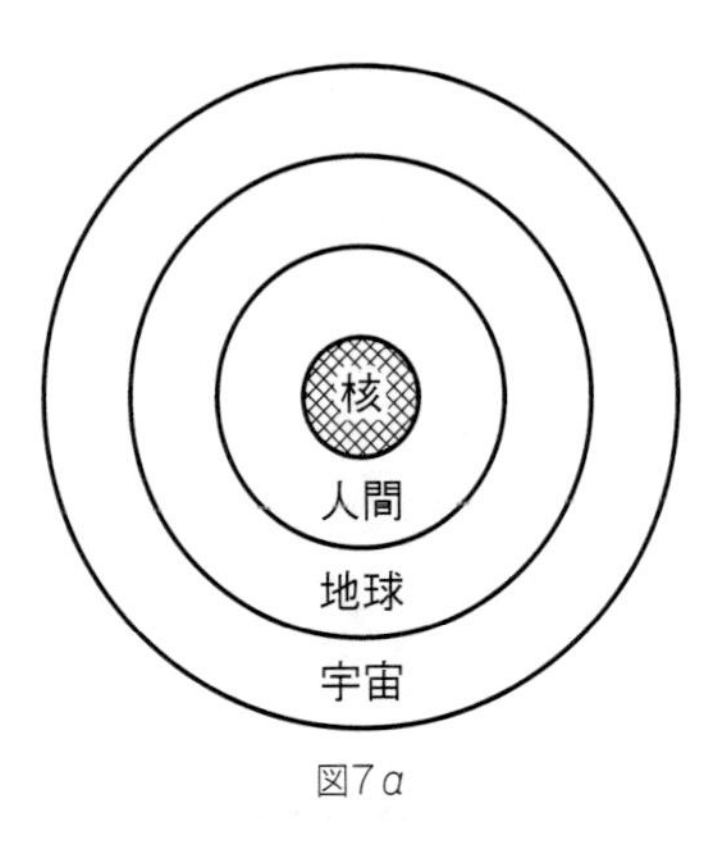


図7 $\alpha$

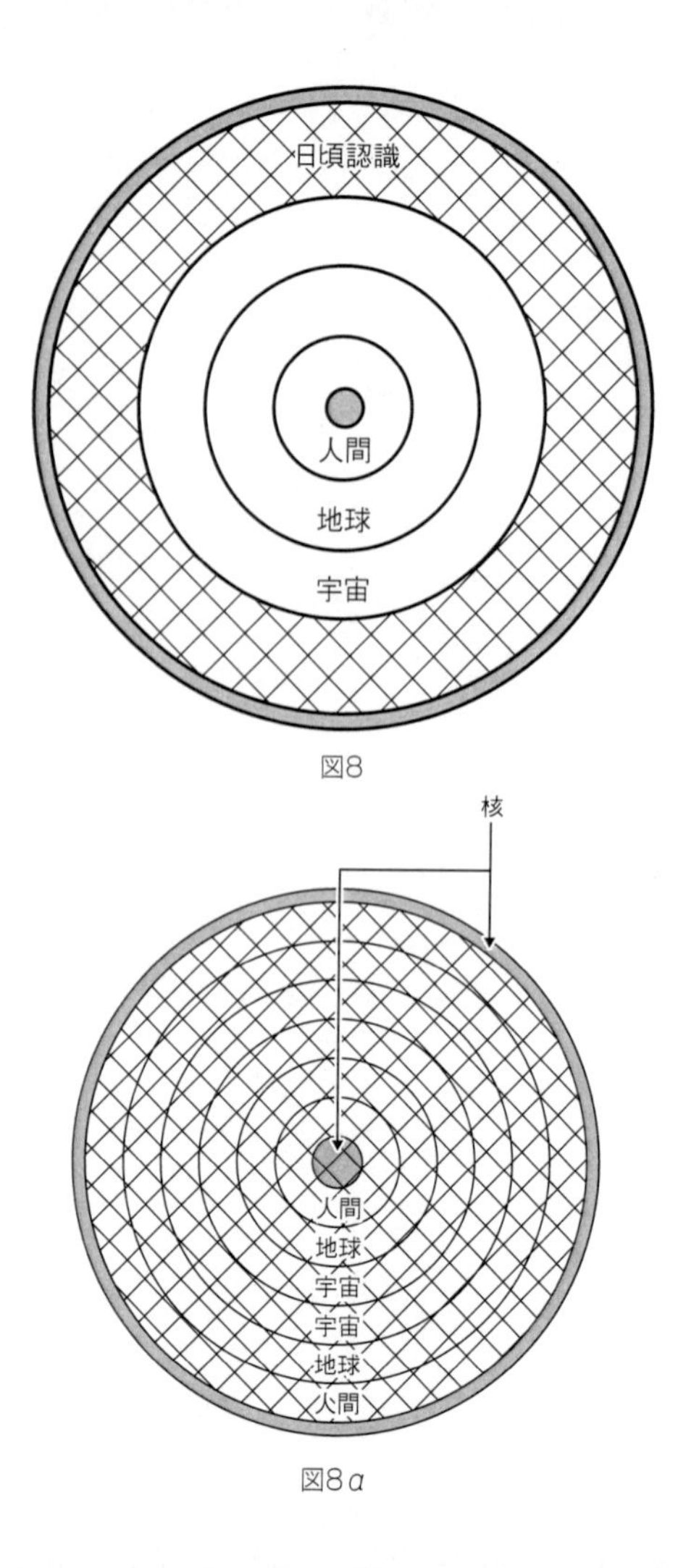


図8

図8 $a$

○サイクルの永遠運動
○即の永遠運動は即になされている。

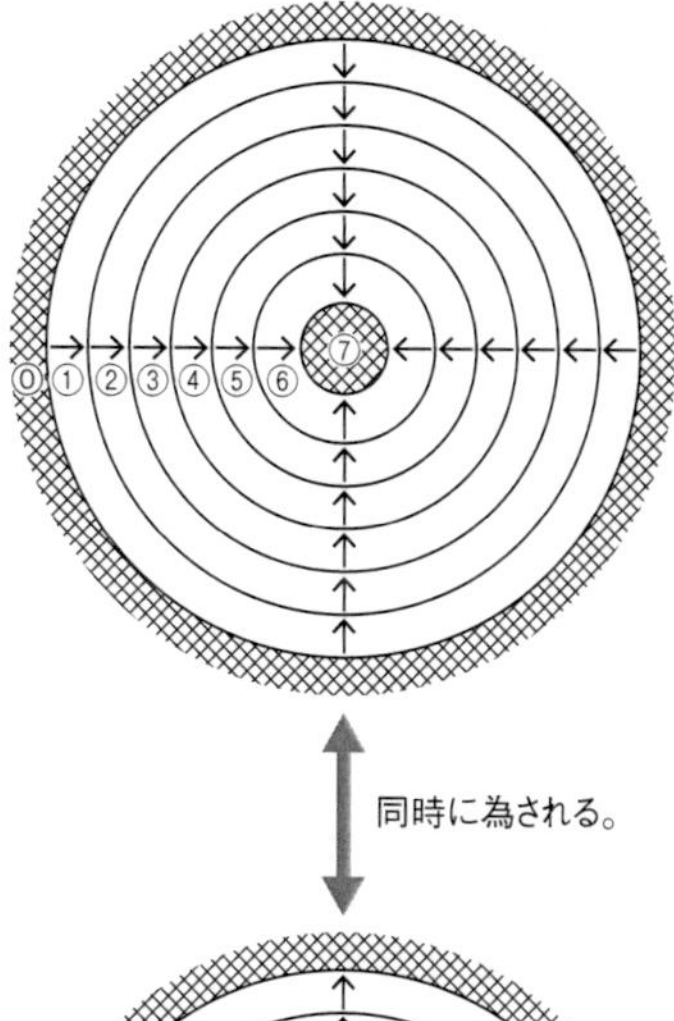


○最大・最小が最小・最大になる場合。
⓪、⑦同じであり、無限である。
⑦で核は消え、即①の核になる。
(核は流れるように小さくなる。)
①→②→③→④→⑤→⑥→消える。

①〜⑥は核　最大を核は維持したまま最小になる。

同時に為される。

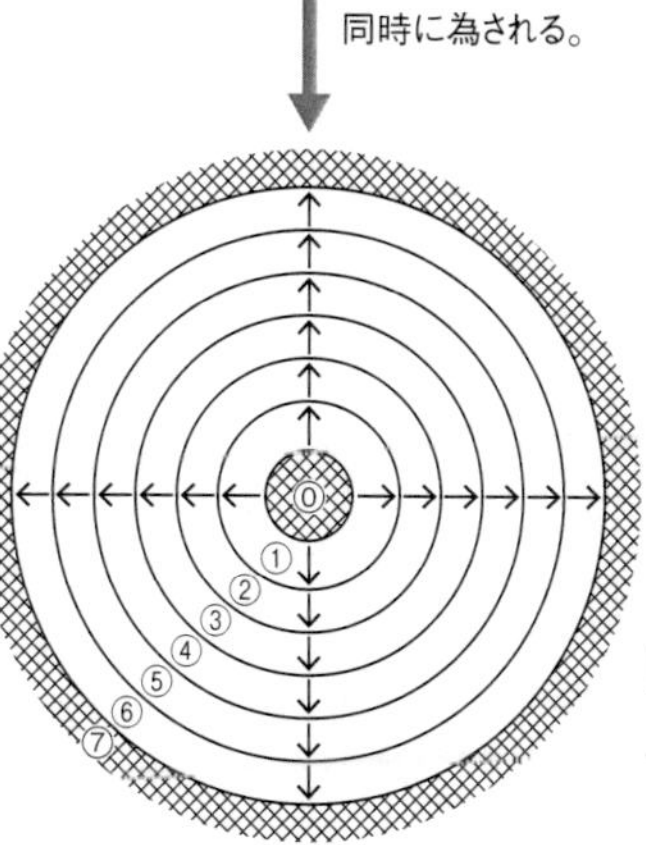


○最小・最大が最大・最小になる場合。
⓪、⑦同じであり、無限である。
⑦で核は消え、即①の核になる。
(核は流れるように大きくなる。)
①→②→③→④→⑤→⑥→消える。

①〜⑥は核　最小を核は維持したまま最大になる。

図9

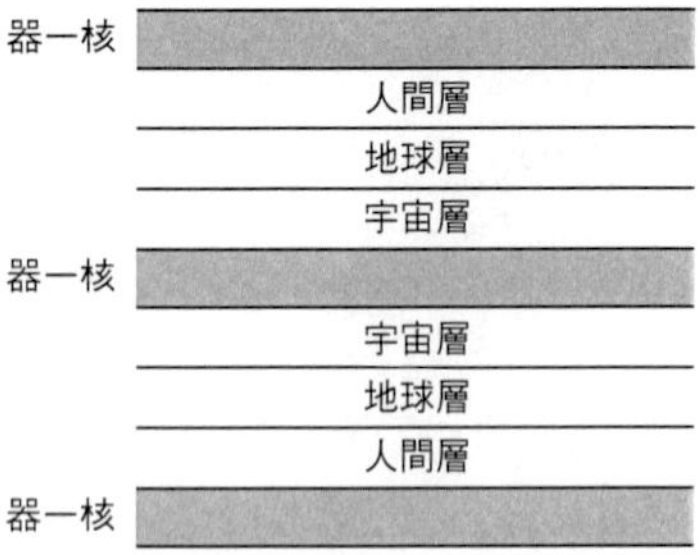

器一核

人間層

地球層

宇宙層

器一核

宇宙層

地球層

人間層

器一核

図10

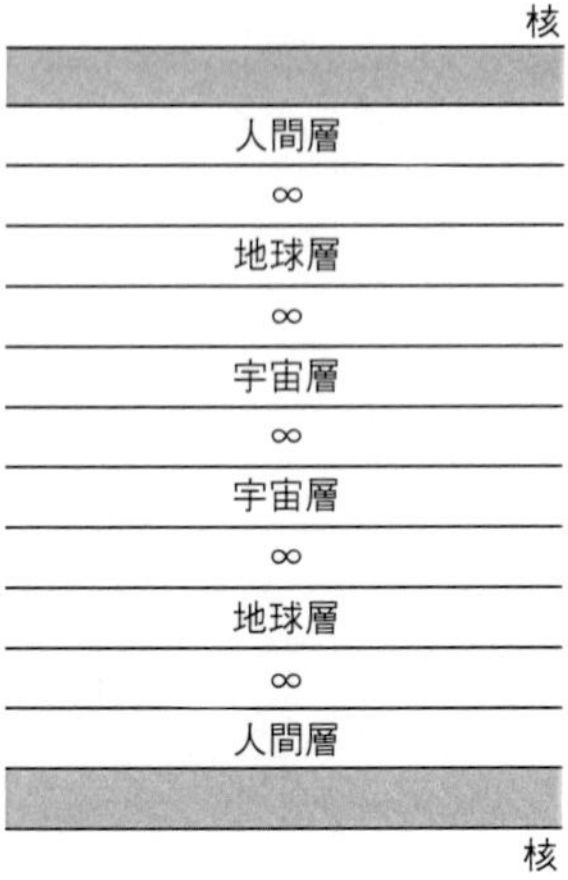

核

人間層

∞

地球層

∞

宇宙層

∞

宇宙層

∞

地球層

∞

人間層

核

図11

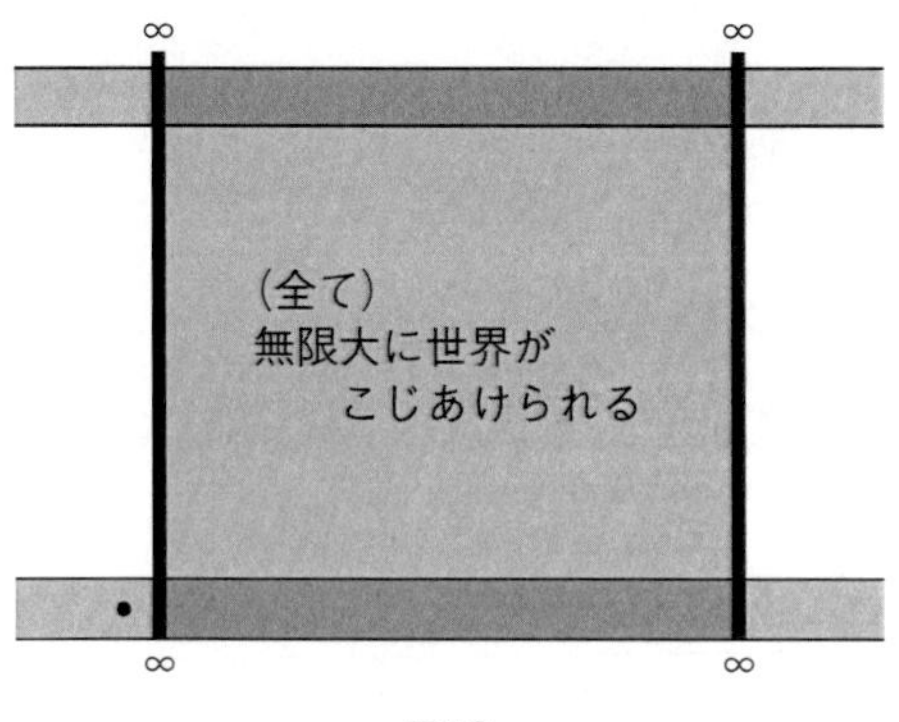


図12

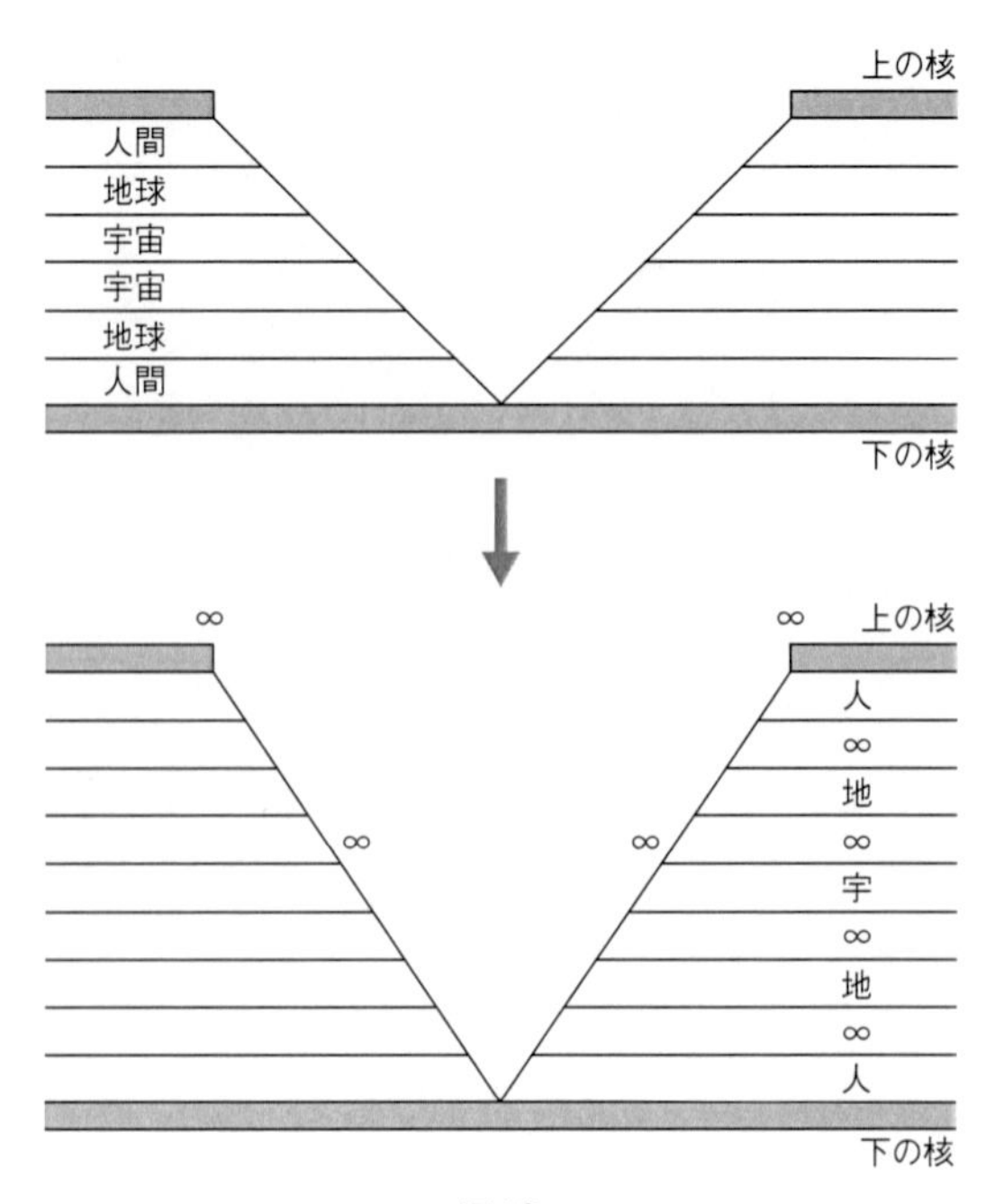


図13

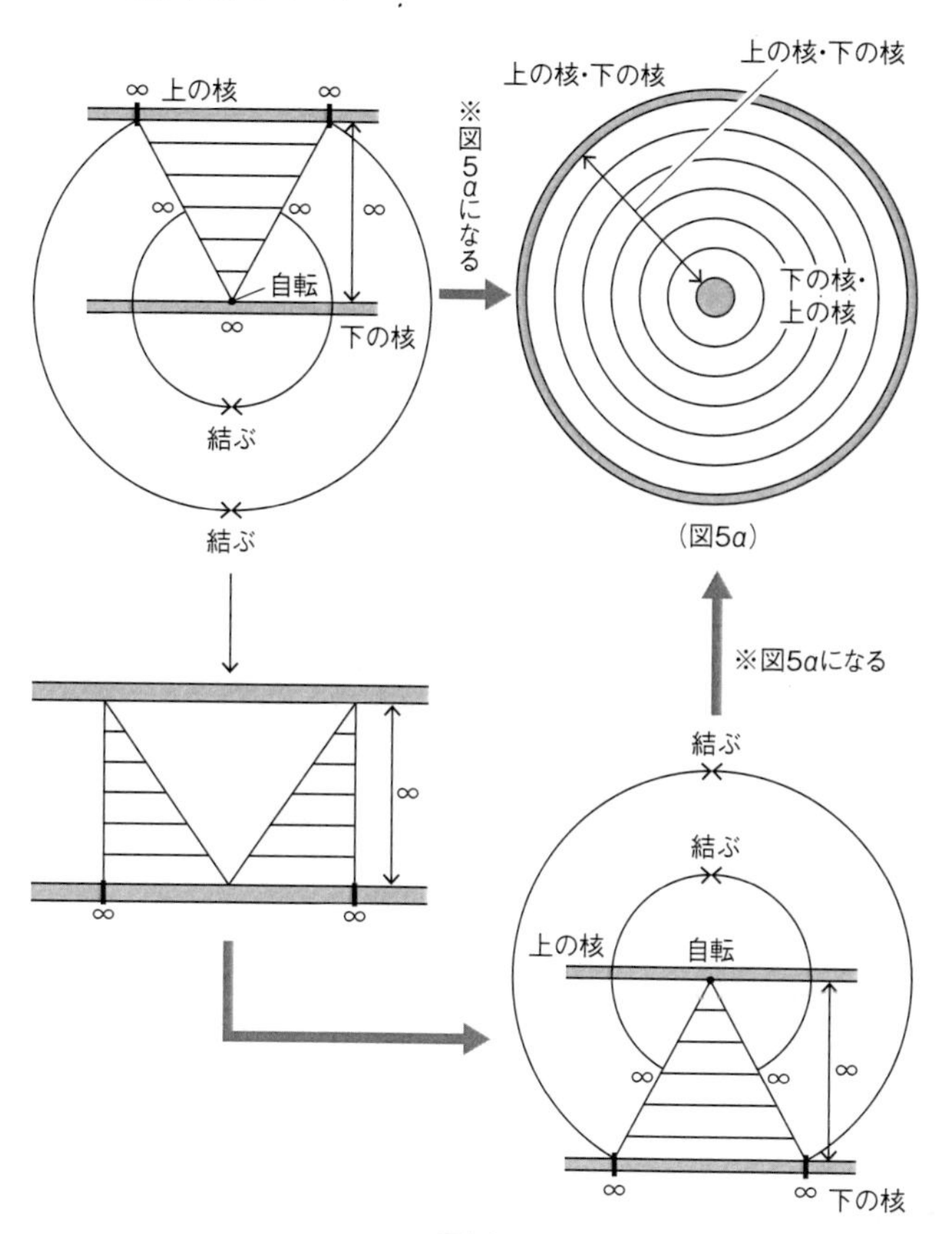
∞ 上の核
∞
∞
∞
∞
自転
∞
下の核
結ぶ
結ぶ
※図5αになる
上の核・下の核
上の核・下の核
下の核・
上の核
（図5α）
∞
∞
∞
※図5αになる
結ぶ
結ぶ
上の核
自転
∞
∞
∞
∞
∞ 下の核

図14

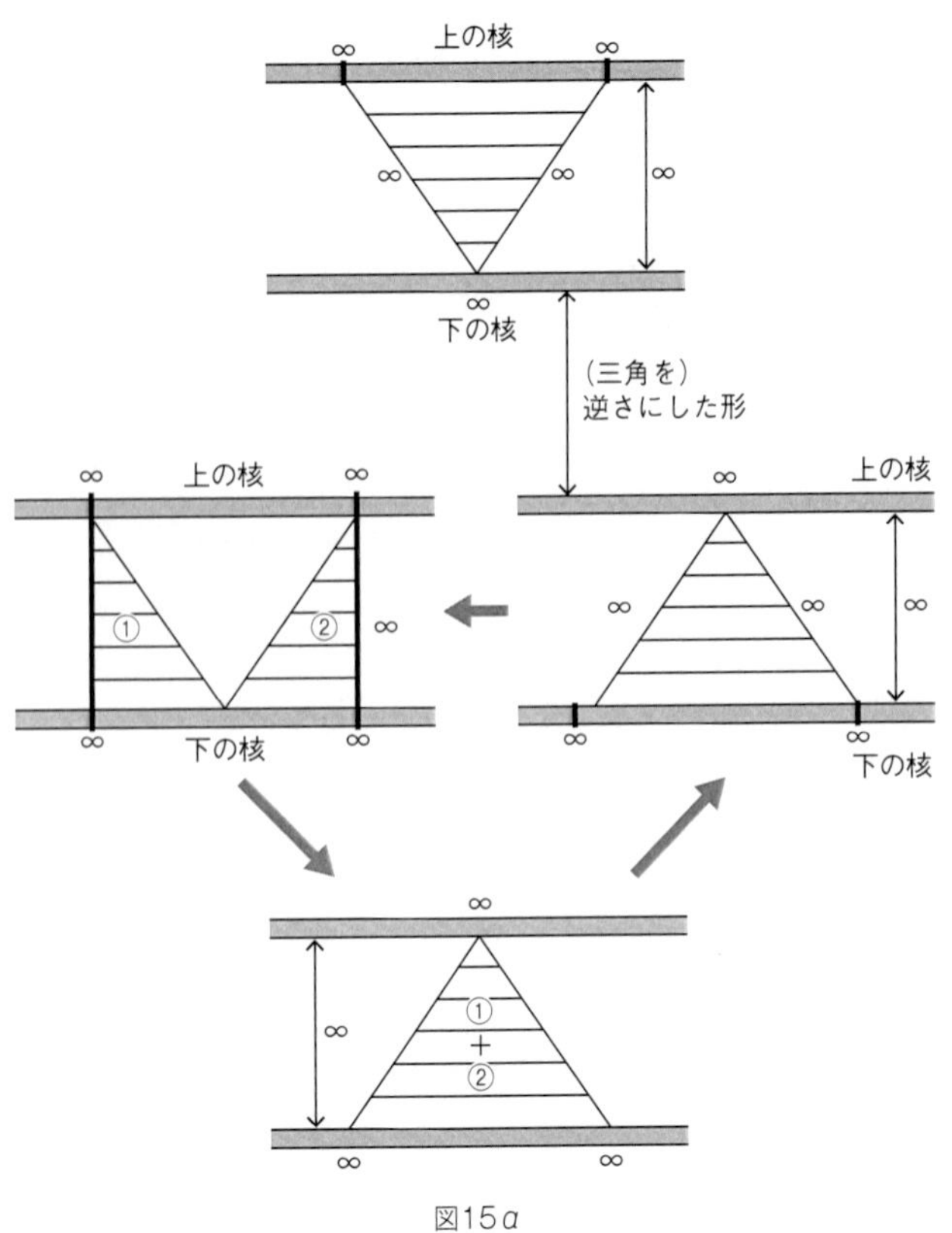


図15a

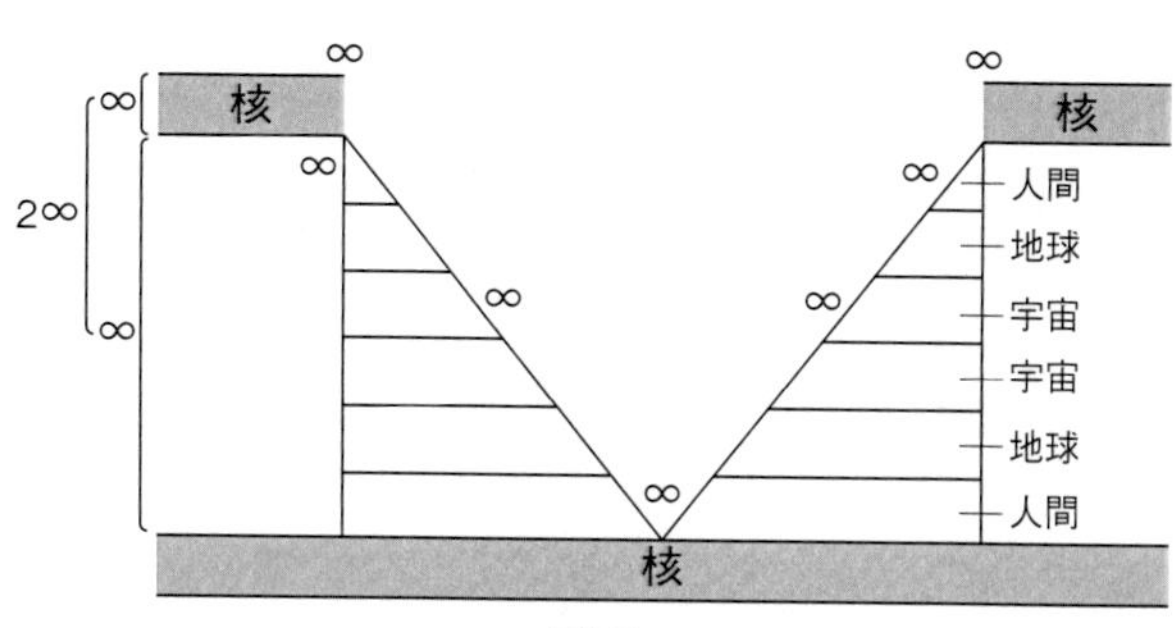


図17

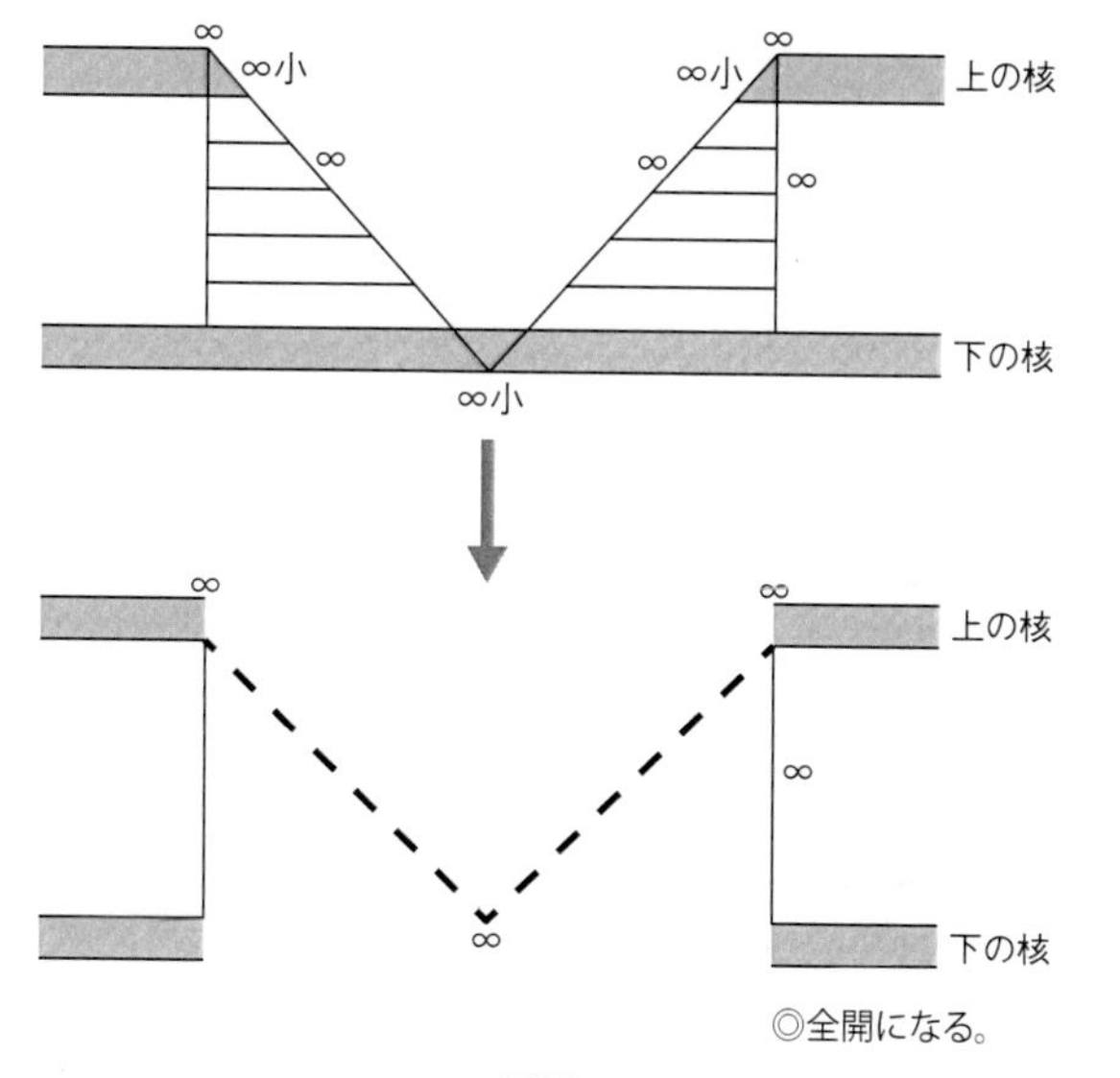


図18

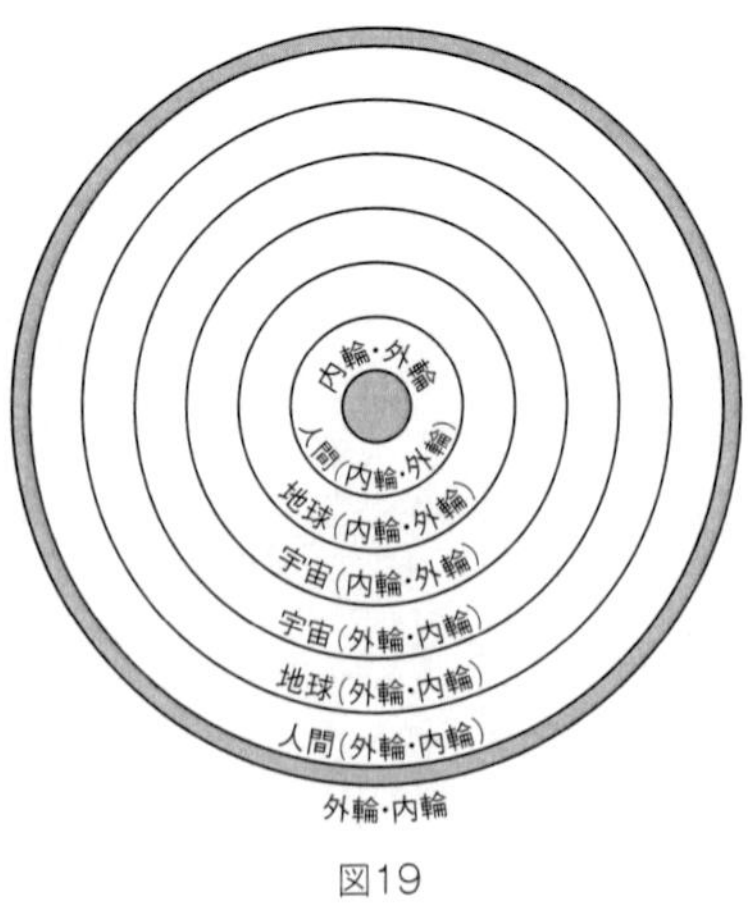


図19

## 1.「広い意味における、観念の言語論」

普段、私たちが目にする世界である、物質。その物質─物は、大半が無意識的受取であろうが、その物から、その物から、放つ観念を、私たちは読んでいる。この読んでいるとは、意識的であることもあろうが、大半は、無意識的であると思われる。

積み木などをし、その創作で、創り上げられたものは、ある観念を発している。私たち個人に誘発させる。そのようなものが、普段の生活の中で沢山ある。人工的なものや、自然など。これらを見て私たちには、ある観念が生まれることであろう。実は、この物たちは、単独でも、物の集まり全体でも、全体の、ある部分であろうとも、観念─（色々な）言語を発しているのである。その思いを、絵に描いたり、詩にしたり、などすることもあるだろう。これは、物─形が、観念を浮上させているのだ。観念、それは、言語である。世界は言語を、その個的ありようから、その個的物を含む物を集めた総体から、その個的物を含む全体の部分的なものから、受け取っているのである。これから、世界は、ある意味、言語で出来ている。

絵画、物で創られたもの、などの芸術作品。それらは、世界のある物の個的ありようから、全ての物からなる総体的ありようから、総体のそのある物を含む部分的ありようから、発せられた言語を読み取り、私たちは芸術作品―創作をしている訳である。芸術作品でなくとも、私たちは、心のありようを、その物たちの観念から、変化させられている。自然の美しいところや、意図的でない人工的な夜景などに、心を動かされる。これは、それぞれの、発せられている言語を受け取っているのである。

世界は言語から、成っている。そうとも言えないだろうか。言えるのであるなら、言語と呼ばれる言語―文章は、物で発せられている言語を人工的に作るよりも、容易い（これには、個人差があろうが）文章にて、物の代わりに、小説・随筆・哲学書などを、創作・創造させている訳である。物を扱うよりも、世界の本来である、言語を使用して、文章を操ることにより、創作・創造を満たしている訳である。哲学者が言語を―文章を活用するのは、物よりも世界の本来の呼び名である、言語自体が便利なために、使用している訳である。哲学書が言語を活用しているのは、このためである。

芸術作品は、それが、一般的に―世界の本来の言語でなくとも、物を扱った作品であり、広義の言語なのである。哲学書は、直接の言語―文章を扱った、芸術と言えるのかもしれない。

## 2.「見つけました、魂を」を再び考えて

### 序　文

まず、このことを述べてから論に入りたい。それは、図5・図6の思索的気付き、または、気付かされ、26歳の時の発見から、「見つけました、魂を」は、無意識的に、前意識的に、図5・図6を展開するために、至るために、論理化、論証化、論述されたものである。このことは、「見つけました、魂を」を創造した35歳の時は、前記しているように、意識されなかった。でも、心の底では、図5・図6の展開がなされるように、創り上げたのである。そして、図5・図6の展開後の展開は、何かを求めて、という論理、論証、論述になっていない。が、しかし、〝同じになる〟こと、魂から日頃認識は展開されて出来ている、その運動が世界にはあるのだ、という図5・図6と同じような、気付き気付かされ、閃きか洞察に、または、直観的に、図8へと、これまた、無意識的か前意識的か、論理化、論証化、論述されたものであることに、気付くのである。これらの、論理・論証・論述ではない、気付き、気付かされ、―考え出した、導かされた考えは、26歳の同じ時期

に得たものである。それが、大半の土台となって、「見つけました、魂を」は、前記のような、そんな論展開の作品になっている。そして、この書は、26歳・35歳の時には、気付いていなかった、この書で明らかにされた、論内容が記載されている。

「見つけました、魂を」とこの書の方法をかいくぐり、図6としてある。私にとって「見つけました、魂を」は、神秘体験をし、思索、直観、気付き、閃き、体感、そのようなことを、論理化、論証化、論述して出来ているものであるが、一から始めた哲学であるし、自分以外言う人がいないから言うが、（子供じみた）独創性溢れる、豊かな作品だと思うからである。私は、「見つけました、魂を」を大切にしたい。今回の書のような、「見つけました、魂を」の見解でもあるが、もっと豊かであるような書、そのような今後の展開も、期待できると思っている。

そんな、「見つけました、魂を」や今回の哲学書であるが、自らの哲学の核心部分を掴むまでは、以下のことを気にしている。それは、私は他者の哲学者の書物―哲学書も、そうだと思うのであるが（私は他者の哲学者の哲学書を、極論すれば読んだことがないのである、しかし、矛盾するようなことだが、読みたいのである。読もうとしないのは、私が決めたこと、それは、観念―哲学的観念の感染を防ぐためである）、哲学書というものは、〝即〟に行われている事柄を論理という展開で、言葉として初めがあり終わりがあり、引き延ばしによって、真理・真実を述べていることなのである。であるから、私の「見つけました、魂を」もその〝即〟に行われている事柄を、論理において引き延ばし、哲学書として成立しているものである。そして、〝無限〟というものを日頃認識で表し理解しようとする無理をしていることに、というか、荒さに気付かれたい。

論じる上で、同じことを何度も、言っているが、お許し願いたい。極力言わないようにと、したつもりだが、無理だったようである。文才がないために読み辛いであろうが、それも、お許し願いたい。もしかすると、語り足りない部分が、あるかも知れないが、そこは、読者の想像と洞察で乗り越えて頂いたらと、勝手ながら、願う次第である。ここ、序文での語りは、大切なものがあるが、「序文」で、直接に記してない。本論にて添え書きしているので、それにて、満たされて頂きたい。申し訳ない作品になっているが、どうか、最後までお伴されることを、願う次第である。

それと、この書は、〝「見つけました、魂を」を再び考えて〟、であり、「見つけました、魂を」を読んで頂くことを、切望するものである。私の処女作『ほら、ね！』にて「見つけました、魂を」は、記載してある。それを、是非読んで頂きたい。そうすることにより、この書は、理解しやすくなることであろう。いや、この書が、「見つけました、魂を」を読まないと、理解できないと思っている。読まれることを、お願いしたいのである。

そして、「見つけました、魂を」を読んで頂き、2.「見つけました、魂を」を再び考えて、を理解されてから、3.「見つけました、魂を」の「「無」「有」テイスト」、とつながることになる。

この作品は、今私は49歳であるが、43歳だったと思うが、前担当者大内友樹さんから

〝構想がそれなりに、出来上がっているようなので、作品を創ってみませんか〟とおっしゃって頂き、それから、たぶん6、7年の月日が経ち、ようやく、原稿が出来た次第である。この長い年月をお待ち下さった、担当者小野幸久様・前担当者大内友樹様及び、文芸社の方に、お礼とお詫びを申し上げたい次第である。〝長らく、お待たせしました。ありがとうございました。〟

それでは、この書を創る上で、参考にしたものをあげたい。広辞苑（第五版・岩波書店）・哲学・思想辞典（1998年3月18日・岩波書店）・哲学・論理用語辞典―思想の科学研究会編（1995年4月30日・三一書房）・それと、インターネット（Google）、これらは、僅かであるが、参考にさせてもらったことを、ここに記すことにする。おおがかりなものではなく、僅かの箇所で気になるな、というところを参考に、させて頂いたものである。

「序文」の最後になるがこの書を創るのに、6、7年もの歳月を要したのは、作品にとりかかる前から、他の仕事で働いていたのであり、その仕事に疲れ果て、短期の休みにて、少しずつ、創られた作品である、だからである。そして、平成30年3月31日をもって退職し、それから、徐々に書き進められた作品である。

平成30年6月10日　日曜日

この書『「無」「有」テイストー「見つけました、魂を」を再び考えてー』を26歳、35歳の時の私に、捧げる。

# 本　論

## ＠「序」について

「序」

「「見つけました、魂を」から始まります。」は、題が「見つけました、魂を」であり、「序」の始まりも、『「見つけました、魂を」』であり、「見つけました、魂を」での本論の2行目である、「見つけました、魂を」、から本論が正確には始まる、ということを意味する、「序」三重の意味の「序」の第一文なのである。

「序」の終わりに差し掛かって「だから、私の本論に書いてあることは、その影響を受けているかもしれません。でも、生きている以上、影響（触発）されることは、避けられないのでは……。言い訳ですが。だから、全部受け売りです。」は、漢字ひらがな・文章、強いては紙、図のことなど、本にあること全て、本も含めて、受け売りなのだと、述べたかったのである。このようなことを、「見つけました、魂を」やこの書の全てに引用表記することは、ただならぬ文章になることであり、そんな手間暇かかる、例えば、一文字一文字についての引用など出来ないし、したくなかったのである。おそらくは、そんな引用など、不可能に近いからである。読みづらいのである。だから、全て受け売り、なのである。そう、開き直ったのだ。そして、読書を―哲学書を読んでない故に、引用など出来ないこともあり、「全部受け売りです。」と言った訳である。

右は、この書の「序文」でも欠かせない語りである。であるからに、右記を序文に入れることにしたい。が、同じ語りを繰り返さないため、この場で語り、〝この語りは序文で必要なものですよ〟、と指摘しておくにとどめたい。この語り、言い訳は、他者と同じことを言わない、しない、という極限での、引用するかどうかの、いい訳である。普通の専門書であると、引用するものは、一般には決まってあり、ある形式であることであろう。そのことが、私には出来ないからの、右記はいい訳である。しかし、ことの根本を考え、言い訳した、前段落は語りであるのだ。

**@本論で言いたいこと**

「見つけました、魂を」を創った時は、気付かなかったが、図4までは万有引力が図の下に働いている、ということを無意識においといて思考した論理展開したものである。それによって、「見つけました、魂を」の図4までの語りが影響されていることを、伝えたい。

**@図について**

・指摘してある図と番号以外にも、意味がある。

論述内容に応じて、図を理解していただきたい。
・図4は、図15αに移行する図である。そして、図4自体の意味もある。図4・図15αは、図4αの意味も含まれる。
・それから、図5は図5α・図9・図19に移行する図である。そして、図5本来の意味もある。この段の図は、無限の論理―対立するものが、同一であり、対立したまま、を意味する共通する図となっている。そして、図5以外も、それぞれの図自体の意味もある。
・図9については、核が消えるところは、後半、同一になる時、消えているのであるが、論の中では消えないまま論展開してある。
・図3は、図11に移行する図である。勿論、図3自体の意味もある。
・図8は、図8αに移行する図である。図8自体の意味もある。
・図2は図13とも、連携する。
これらのことは、読み進めることで、解ることであろう。

## @核と器について

「見つけました、魂を」で図3・図4に関する以降、〝核〟(の意味)なのに〝器〟と記しているところは、核の意味ではなく、器の意味を強調したかったのである。

それと、図3・図4に関する以前で〝器〟(の意味)なのに〝核〟と記しているところは、〝無限〟の意味のない〝核〟を強調したかったのである。

## @次からは

「見つけました、魂を」の深層、〝こんな風に考えられる〟と論じたもの。

## @走り出し、を見てみる

「見つけました、魂を」の本論から入るに、「見つけました、魂を。「どこに！」それはですねぇ。ちょっと、私の話を聴いて、下さい。がっかりしないで、下さいよ。」の論下りは、万人の皆様方に受け入れられるものか？　ということとは、無関係に迷うことなく綴られた言葉である。そう、それと、序文との流れから本文のその論下りに成った、ということもあるが。だから、序文で「「見つけました、魂を」からはじまります。」とあり、その説明通り、流れをくんでいるものである。次に書かれている事柄は。

「世界を見てみよう！　頭悪いから面倒くさいことは、嫌いだ。」と私はいい訳をしながら、世界理解を、次の階層的地層領域認識に移ろうとしている。ここで、この論の投石は果たして正しいのであろうか？　おそらく、世界を私と同様に階層的地層世界で世界を捉える必要はないことは言うまでもないが、ただ、一般的に理解されている、複雑な、それでもって、込み入っている世界を、一般的に認識されているであろう階層的地層世界を用いて世界論を展開させてみる、ということは、それ程、間違いでない、と思われるのである。そういう訳で階層的地層図を世界として、扱ったのである（「見つけました、魂を」は、図５・図６を成立させるため、階層的地層図がふさわしく感じられたのである。都合がよかったのである。それにて、階層的地層図を展開した、ということも言っておきたい)。

「こうします。世界を宇宙層、地球層、人間層に分類します。それは、前段落の語った様である。」このように、私は世界を階層的地層領域認識で世界を捉えることにしている。それは、前段落の語った様である。それと、ここでの階層分類は、別に宇宙・地球・人間に限定、だから、プラスしたいものがあれば、階層を増やせばいいのである。または、それ以外で、だから、宇宙・地球・人間以外の種類以外でも分類してもいいのである。想像を巡らせて、ことにあたっても、構わないのである。

## @核と器の登場

「実は世界は、それだけではありません。核というものがあるのです。」ここでの、〝核〟の意味は、世界をまとめるもの、一括にしたもの。それから、世界の最果て、図的あり方として、世界は核内のみである。そして、核を含んだもの、それが世界なのだ。他にどこにも何もない、この世界のみであり、この世界が全体なのである、核外には何もないのである、という意味である。という側面もあるが、核の主の意味は、真理図の真理運動にて、囲いのない無限の大・小をそれぞれ維持したものを意味している。その無限の大なら大を・小なら小を維持したものを日頃認識と似通った見映えの、囲い、ではなく、囲いに似た無限を意味する〝核〟というものを設定した訳である。核から囲われたものは、それぞれ無限の大・小を意味するのだ（図9参照）。言っておきたいが、「見つけました、魂を」で、全論の前半は、〝核〟というよりも、〝器〟としての色合いが、強いことを指摘しておきたい。器にとって、核の意味する無限は、無いのである。図1・図2などは、階層的地層図であり、相対・有限のものである。その、ものに、核という無限を意味するものが、付く――階層することは、不思議なことであり、考えにくい。相対・有限とは異なるものになると思われる。であるから、核の意味する無限のない、器が階層されているのである。階層的地層図が、無限になるまでは、核に無限の意味はない。器と記しているところは、核が器と、強調したいために、記している。では、軽く核論について触れることにしたい。

## @軽く核論に触れる

真理図の真理運動にて、核から囲われたものは、図から、無限の大・小をそれぞれ維持したものを意味している。囲いの付いたものの、だから、そのものを囲ってある核が、無限の果てのない大・小をそれぞれ維持したものを意味させる。単なる囲いではないのである。真理運動――対立するものに、同じになる、即の永遠運動とサイクルの永遠運動――、最大が最小に、最小が最大に、それぞれ同じになろうとする時に互いが、最大・最小があるが、最小の場合、無限の小を維持したまま、核の円（・球）が徐々に大きくなる、そして、最大と同じになる。・最大の場合、無限の大を維持したまま、核の円（・球）が徐々に小さくなる、そして、最小と同じになる。ということを表すものとして、囲いに似た核というものを、無限の意味を表す核というものを、創り出した訳である。これは、サイクルの永遠運動であり、即の永遠運動は、最大は最小に、最小は最大に、即の永遠で同じになるのである。ここで言いたいことは、核から囲われたものは、それぞれ無限の大・小を表しているのである。ということである。（図9参照）。

## @核の意味と真理運動

真理図の真理運動について、この核から囲われたものは、無限の大・小をそれぞれ維持したものとして、意味され、最大のもの・最小のものが、そのあり方（意味）を変えず、向かうべき、最大と最小とに、同じになることを即と、サイクルとして実現させているのだ。それぞれの、即の永遠運動・サイクルの永遠運動を可能にするため、実現するために、核は創り上げられたものである。核によって、即の永遠運動・サイクルの永遠運動がなされるのであるのだ。

真理運動にて、この目的（最大が最小と同じになる、最小が最大と同じになる）に至った、核が囲っているものが目的の最大・最小になった時は、この囲い的な核はなくなる。なぜなら、核は、最大と最小を意味させるために、創られたのだからである―核がある意味がない、のである。そういうことから、目的の最大・最小になったことにより、核は消えるが、その消えたと同時に、始めの状態である核の、始めのところへ現われているのである（図9を参照すると、このことが、よく解るかも知れない）。真理運動により、最大と最小が互いに同じになる時、核に囲われたものが（見た目）、徐々に大きく・小さくなるそのとき、その現象である、真理運動を実現し、最大・最小それぞれの無限を表現させているのが核であり、向かう最大・最小へそれぞれに同じになり核は消え、始の場所に核が現れる。そして、同じことを言うが、サイクルの永遠運動は、同じになった時に核が消える。最大と最小から、核が次の動きである、徐々に互いに近づくこと（核に囲われたものが（見た目）、小さくなる・大きくなる）が直ちに行われ始める。そのことはサイクル的に核が再出現する訳である。この核は、サイクルの永遠運動を満たしているのである（図9を見て、想像し、確かめて欲しい）。このサイクルの永遠運動と即の永遠運動は、核の別々の動きで行われている。即の永遠運動の場合、その運動が即故に見えないのである。

こんな無限なものの意味内容を満たす為の核なのだが、真理運動する図を含め、核が最外にある時、図の役割的には、核外には何もない、世界の果てを日頃認識的に意味している。図1・図2は、この意味であるに止まる。そのため核と記してあるが、器の意味である。が、図3（この図については、後の頁で解ることだが）からは、というか図3の完成図である図11は、核が無限ということを前記の意味に付け加え意味し、内部（階層的地層図）にも外部にも、無限であることを意味している。しかし、このように無限の階層的地層になると、もはや日頃認識領域―相対・有限領域とは、言えないのであろうが。（相対・有限領域には、相対・無限を含んでいるのである。そのことを、付け足しておこう)。

それから、核と器は、下記に述べる時間的―〝未来〟という観点からも受け入れていい、もの、である。

## @相対・有限領域について

### !なぜ、相対・無限があるか?

図8*a*で絶対・無限を変換(対立したものに)しようとする。最も絶対であり、最も相対であるから、絶対は相対に変換される。無限は有限に、だから、無限全体を有限へと変換する。が、無限は限りがないのであり、無限全体を変換しても、全体の無限は残る。無限は無限全体を引かれても、無限全体のままなのである。数字で表すと、〝0〟無限は、0―0＝0なのである。故に、絶対・無限を変換したなら、相対・有限と相対・無限が出現するのである。この、相対・有限と相対・無限を相対・有限領域と呼ぶ。

### !相対・無限の営み

＊相対領域には、〝世界で一番とか世界で最も〟と言われるものがない。無限は(相対領域の)、囲い、円で〝世界で一番とか世界で最もとか〟の大小を求めるが、その〝世界で一番とか世界で最も〟がない為に、そして、囲い、円を、世界の最大・最小を求めるの

に縮小・拡大を限りなく行うので、世界の無限の最大・最小を求める達成しいえない、営みである、無限になるのである。相対領域の無限なのだ。

最大と最小のことであるが、想像して欲しい。（相対領域で）最も大きいもの。円、囲いの付いた最大ものである。縮小しないように。そうすると、想像し続けると、頭が飽和状態になり、とならなくても、「解らなく」なるのでは。それか、全円、囲いを思い浮かべて、想像が停止するのでは。想像して欲しい。（相対領域で）最も小さいもの。円、囲いの付いた最小ものである。拡大しないように。最小が消えない状態で想像すると、それと、消えてもいい状態で想像すると、頭が飽和状態になり、と言わないまでも、「解らなく」なるのでは。それか、諦めてしまうのでは。おそらく、双方を求めることに、少しでも、縮小（最大を求める時）・拡大（最小を求める時）をしたのではなかろうか。そのような縮小・拡大を無限回（ここでの、拡大・縮小は、本格的な拡大・縮小ではないが）することで、世界の無限大を求める、達成できない営み、世界の無限小を求める、達成できない営み、で相対・無限が営まれているのである。

## ！無限を表現しようとする宇宙、見えないもの

相対・有限において、その外部にも内部にも、相対・有限は広がりを見せている。宇宙において、無限を3次元で表現しようとしているようである。テレビの情報では、宇宙超大は、凄い速度で、宇宙空間が広がっているらしいのである。内部にブラック・ホールを

あげたいが、現時点での思索において、構築されていないため、言及をしないことにする。相対・有限は、外部―宇宙空間は（宇宙が最外のものなら）限りなく広がり、天体望遠鏡で見れば、認識するとともに広がりを見せているのである。だが、本来の相対・有限の理解は、宇宙ではなく、日頃認識において、個物などは相対・有限を満喫しているのである。

相対・有限は、どこまでも広がっている。では、相対・無限は、どこに存在するのか。それは、相対領域にて、見えないもの、それが、相対・無限なのである。顕微鏡・天体望遠鏡などで見えたもの、形をなしているもの、それらは、相対・有限である。話は飛ぶが、上辺の理解による、実在論・観念論は、今の私には、どうでもいいことである。どちらでもいいのだ。上辺の理解と言ったが、この書の全てが、上辺の理解であることであろう。

―有限だから、個物は変わる。これは、時間とともに個物は、変化していくことであり、日頃認識で、目の当たりにしていることである。

〝@相対・有限領域について〟―相対・無限は、この書では思索が不十分なため、主体的に論じないことにする。

## @脱線するが、このようにも考えたくなる

それは、地球の「核」（地球内部の中心の「核」）が私の使用する〝核〟と同じなら、こ

う思い巡らせるのも面白い。日本の裏側はブラジルだが、地球を掘り進めるなら核を経由せねばならない。そうすると、無限なもの、―核に掘りあたるのであり、無限―その無限なものである核は、掘り進める以前から核全体を、だから、無限なものである核は真理図から、相対・有限へと無限に変換する、変換している、そう、核は、相対有限の限りない広がりを見せるのであり、掘り進めることは、無限の営みとなり、ブラジルには永遠に辿りつけないことになるのである。

## @語りを戻して、失われた核

話を戻して、おそらく、図1から図2に移行する際に、無くなった宇宙層の下の核が、過去の核が気になるだろうが、どのような理由で「ない」のか、ここでは置いておこう。というか、「ない」にしてもいい事柄、世界の理解であるのである。

## @核について

「核は世界の最も端に位置します。」これは、前の段落で述べている〝囲い〟であり、図1・2の日頃認識領域を見れば解ることであろう。そして、図1・2ではないことであるが、核は〝無限〟を意味しているのである。32段落から記しているから、解ることであると思う。図1・図2においては、〝核〟の無限を意味することよりも、囲いである〝器〟を重じている、というか、意味している。そして再度言うが、階層的地層領域が時間の流れに積み上げられていることであるから、核と器は、時間の〝未来〟とも理解してもいいものである。

「核がなぜあるかについては、それが、世界の器だと考えればよいのです。」これ以上囲いの外に世界はない、と。それは、日頃認識において、世界をまとめるもの、という見解である。勿論、無限で絶対で普遍なものも、その世界である。互いが同場にあること、それが世界であり、その世界を唯一の世界と呼ぶ。世界には、絶対で無限なもの・相対で有限・(相対・有限領域)なもの、それが同時存在、実在し、世界を唯一の世界を表現しているのである。次はこう述べている。

「器の中に入っているのは水(世界)である」これは、器から、世界の最も端から世界が漏れないことを表現して、その対象に適当なものと思いあたったのが、〝水〟と言う訳である。勿論、漏れてはいけないものだから、器が必要になる訳である(申し訳ない、この説明には、万有引力が働いている。)が、しかし、この器がないと、世界内で力が働いた場合など、器外に漏れるのである。そのために器を用いた。—西洋哲学で、哲学者ソクラテスが哲学の創始者と呼んだ、タレスの命題であろうか「万物は〝水〟から成る」—だったと思うが、タレスの哲学、本意は違うかも知れないが(というのは、私は他者の哲学書を極論的に言えば、読んだことがないからである)、それを利用させてもらったものでもある。

## @哲学を知らない者が、真の哲学について

ここで余談なことを述べるなら、私の見解によると、〝哲学〟とはその個人―哲学者が創めた―が創始者であり完成者（完成したかしないかは別にして）なのである。系統だった個々人に満たされた哲学は、私が見解する〝哲学〟ではないのである。要するに、哲学者とは、その人がその哲学の創始者であり、完成者、と述べたいのである。哲学に系統だった創始者など、完成者など、いないのである。と同時に、真の哲学を、無限で絶対で普遍なものと言えるなら、即で・永遠のものであり、始まり―創始者もなければ、完成者―終わりもないのである。と述べたいのである。即だから、その哲学をした哲学者で初まり―創始者であり、同時に完成者―終わりであるのである。そして、哲学思想は、相対・有限領域―日頃認識領域の理・カラクリを満たし、ある基準の順位―格差を付けられるであろうが、真の哲学は絶対・無限な普遍なものと言えるなら、真の哲学・哲学者は、平等、同じ、差別も格差もない、絶対領域に無限に輝き続けるのである。皆が平等で一番優れている、という領域。どんな哲学とも、哲学者とも、接点を持たない、独存（独りで存在する）のものなのである。と私は言いたい。他の哲学書を読んだことがない、哲学が解らない、と私は言いながら、こんなことを言ったが、故に正確とは言えないだろうが、私の哲学に対する解釈の仕方であるのである。

## @図1と図2について

話を戻し、「と絵に描くとこうです。」の図1は、「見つけました、魂を」の論理展開でいうならば、図2を導くための、これは、次の段階の図2への思考図である。一般的地層と言えば、このように、図1のように、理解するのではなかろうか。であるからにして、図1は、世界を理解するために表した階層的地層図であり、それと同時に、正確な、と言うか、一般的思考認識による世界を表す階層的地層図であり、図2を導き出すための、敢えて、表記したものなのである。

だから、「見つけました、魂を」の次の頁では図1が「実は、これは間違いです。」と述べている訳である。「正しくには、図2なのです。」なのである。その後に「だって、世界の端にあるのは、一般時間的に（まず、宇宙ができてそれから地球が現れて人間が生まれている。一般時間的普通観念でいくと）、人間だからです」だから地層を、階層的地層領域認識を時間的に見ると、前（　）内のことを言っていることと重複するが、一般時間的に宇宙層ができ地球層それから人間層ができるのである。そして、だから、核は、未来になるのである。と一方、未来方向時間だけ見ると、核は、こうなるが逆の過去的方向をみると、未来の核があり、そして、人間層、地球層、宇宙層、であり、宇宙層の次には、図1の宇宙層の下の核がそのまま残り、図10のようになる。

## @過去の核について

が、この時間から見た過去の核は必要以上に、だから、「見つけました、魂を」の図５を導くのに深刻（〝深刻〟と言ったのは、この書で核心的に取り上げたい対象に今はしたくない、という思いが入っていることも気付いてもらってもいい。だが、この書の語りは私の真において、論述が間違っている訳ではないことを、強調したい）に見解する必要はないのである。未来の核は、階層的地層図の器であり、故、必要になる。宇宙層の下の核が、図10のように有るのだが、前述しているように、宇宙層の後にも、人間層と地球層の間にも、地球層と宇宙の間にも、階層的地層は領域の層を設けていいのである。いや、設けた方が真実を追う者にとって必要になるものであろう。その階層的地層図は、階層が無限にあるかも知れない。だとしたら、相対・有限領域は—日頃認識領域は、こともすれば、無限化される。

ここで、割り込むが、無限なものが世界である、真と言うだけでなく、相対・有限—日頃認識領域も真であり、相対・有限領域と絶対・無限領域を、どちらも、強調し満たしている。（が、相対・有限領域は、相対・無限を含んでいる、このこともつけ加えておく）世界はこの双方が同じ場に同時に、ある、のである。次の段落にて、核は、無限を意味している。

無限について言えば、即・永遠なもの（無限は＝即で永遠である、と辞書か何かで見たのであるが、気のせいかもしれない。でも、無限が即で永遠である、ことに私は賛同した故に、この書においても、そのような理解のもと、言い当てている。）それから、人間は過去の真実を暴きたがるが、永遠故に遥かかなたの世界の初まりの過去は、実在しはしないのである。〝永遠（初めもなければ終わりもない）〟であるからである。どこまでも、続いているのである、と言えるである。ということは、無限ということは、宇宙層の下の階層にも、人間層と地球層の間にも、地球層と宇宙層の間にも、階層的地層図が、ともすれば、無限にあることもあることになり、「見つけました、魂を」の図3の図の内側の核がない図3を導くのである。図11のことである。この図3から図11になる場合の論理展開は置いておく—今後の課題としておこう。と〝置いておく〟と言うのは、「見つけました、魂を」での論理が大きく異なることにならず、論理的にも結論的にも同じ見解を見せると、踏んでいるからである。大きなずれはない、という訳だ。ここで、付足して言えば、〝核（中の）〟は、無限なものであるから、階層図に変換すれば、無限段の階層を満たすのである。

話を飛んで理解すると、ということは、無限の階層的地層球体である、図5などを導き出す、ということである。

## @次は

では、戻り。「宇宙や地球ではありません。そして、核が一番端に来るはずです。世界の器ですからね。これが世界だったんですね」と綴られている。器は、前述の通りであり、理解できると思う、この文章。

## @「で、世界が解ったところで、私はこう切り出します。「人間は無意識のうちに、魂を探している」と」について

「で、世界が解ったところで、私はこう切り出します。「人間は無意識のうちに、魂を探している」と」ここらで、ここでの理解する文章を止めとく。これまでで、世界が階層的地層図から理解出来るであろう。そこまでの世界理解だと、相対・有限—日頃認識領域を、世界を理解しただけで、魂をも真の世界も（真の世界とは、同じ場に相対や魂（絶対・無限）からなどから成るものであり、絶対・無限なもののみが真である、と言いたい訳ではない）理解しないまま結末を迎えることになるはずなのだが、それを、否定するようなことを、「私はこう切り出します」と言い出すのである。結構、ここの論理展開は突如入り込む言葉であるが大きなものとなるのである。と言うのは、この論理展開があってこそ、私が哲学するところの魂を、真の世界を、知ることができるからである。

では、ここを考えたい。「私はこう切り出します。「人間は無意識のうちに、魂を探している」と。」と述べている。これを、この段階での、見解を述べるには以下段落になる。そして、その語りは日頃認識での語りである。（要するに「存在がどうこうして、こう言う風になり、この真たる認識故に、この語りは立証される」というような表現ではない。おそらく、従来的な哲学スタイルと思っているのである、と思うが、こういう風に語るこ

とを、少し私は、距離を置いているのかもしれない。が私の論で〝必要〟となれば、勿論、展開されるに違いない。自分の哲学で必要なものは、何でも自由に用いられる、ということである。だが、しかし、私が哲学用語を展開し哲学出来るような、哲学用語を知っていればの、話であるが)。

## !証明―その1、孤独による人間の求めるもの

私たちは、魂を求める行為をおそらくしている。それは、恋愛であったり、研究やオタクと呼ばれるような〝真剣な〟(張りつめたものであったり(これを意識していようがいまいが))、遊戯のような没頭した全力投球のものである、(敢えて言って置くが、気を付けなければならないのは、〝遊戯を〟単なる悪い意味での、〝遊び〟として受け止めないで欲しい、ということである) 個人的な究極な趣味、これらは、後に出てくると思うが、〝真の孤独に向かい、少しでも耐えうる「シロモノ」〟であるなら、これらは、魂を求める行為であるのである。それらを、私たち人間は個々人異なる種類の分類で、その行為(真の孤独に向かい、少しでも耐えうる「シロモノ」)をしているに違いない。ここでは、恋愛を例に上げたいのであるが、その前に左記のことを言いたい。

それは「「人間は無意識のうちに、魂を探している」と。」など「見つけました、魂を」で述べていることや前段落の、結論的核心の真理・真実を見解せずして以下のように語ることである(以下〝証明〟にて核心・真理・真実・カラクリなど出てくるが、見解が足り

ないであろう言葉になっている）が、日常の生活で私たちは三度の食事や性生活や、果てまでは呼吸まで、〝する〟こと全部、魂へと至るために、試み、られている行為なのである。日常というか人生している─動いていることが、その一つ一つの行為が魂を探す、世界をこじ開けようと試みる行為なのである。私たちの全てが、行為が、現象が、魂を得るために試みやっていることである。が、その全ての行為には、世界をこじ開ける、真と偽の行為に分かれる。その中でも、一つ挙げる確実な行為がある、真に値する行為である（なぜ、真理・真実では無限にこじ開けられ、魂を獲得しているのに、日頃認識では、その試みの真と偽があるのか。それは、絶対・無限数の理・カラクリ、が原因であると思われる。それらから、そうなっている（相対・無限の無限ものは〝精神〟である、と今のところ思い込んでいる）─〝世界をこじ開ける、真と偽の行為に分かれる〟、ものの働きになっているに違いない。

それは、前記している名称の事柄だが、魂を得る、おそらく、短時間の魂の味わいではあるもので、魂を得るために世界をこじ開けている行為として前行為を振り返ると、性行為は、頂点に達した結果に魂へと至る。男性であれば〝一瞬の〟魂を味わえる行為なのである。セックスは、男性的側面から言うと射精した時の〝一瞬〟の魂へ至る確実な行為なのだ（男性のセックスも勿論、セックスが、性が、魂へと至ることの真の試みである、という事実で（魂を得ることが出来る、という理由からだけではなかろうが、）興奮・快楽・嬉しさが、付きまとい、射精に至るまで、その興奮・快楽・嬉しさは増して行く）。

至福へ至る――一瞬の魂を獲得するこのセックス、という行為は魂へと近づくほどに、至福度を増す。至福に達した後、後日にも渡りその魂の至福の余韻が残り、そして、消えることになるのである。〝少なくとも性行為は〟と言ったのは、他の行為――三度の食事や酒を飲むことなどは、魂を空振りする、〝偽の行為〟と言いたいのである。

偽の行為とは、（例えば、歴史的に人類が歩んできた中心にあったもの。おそらく古代では猟をしそれを食べること、それが、重要なこと幸せな、魂を満たす行為だったのである。飲酒は、少なくとも理性的なものが、和らげられる、孤独の感覚を和らげる、ことなどと思われる。現代でも飲酒自体は、元を辿れば、このような孤独へのものなのである。性以外のこれらは、昔の魂へ至る産物、または、孤独の感覚を和らげるものであったことを言いたい。それらは、今でも機能しているし、楽しみの一つでもある。真の孤独に対する〝シロモノ〟の痕跡みたいなものである）真の孤独に対し恥じない〝シロモノ〟ではないものを指す。私たちは、真の孤独に対し恥じない〝シロモノ〟を知り、実感し、行為するべきなのである。

うん、そう、そんな分類も日頃認識領域ではなされる。が、〝する〟こと全てが、人生全てが〝魂へ至ろうとする〟（成功するか否かは別にして）行為、なのである。この段落では、そのことを――全てが魂を獲得しようと、試みる、ものであると前面にだしたい。そして、たとえ、偽の行為――疑似行為でも、その中に、愛（なぜ、〝愛〟を上げたかと言うと、〝愛〟が真理・真実であると少なくとも一度は体感（体感が〝真〟である、とは言えないかもしれないが）しているからである）とか真実・真理を掴もうとすることや、だから、真の孤独に対して恥じない〝シロモノ〟が核心的に存在するなら、それは、魂へ至る行為だと言えよう。とにもかくにも〝する〟こと全てが、魂へ至ろうと試みる、行為なのである。

真偽はあるが、以下のことが機能することを、主張しておこう。日頃認識領域の一つ一つの行為が言えることとは、常に全てが、成功しようが失敗しようが、〝世界をこじ開けようと試みる〟行為なのである。なぜなら、〝見えない魂〟を〝見る〟ために、〝掴む〟ために、必死に、無意識に探すのだから。言ってしまえば、当たり前のことなのである。人生それ自体が、〝魂〟への渇望と言いたいのである。行為の魂を獲する真偽を考えなければ、いやそれを考えても、何か〝する〟こと自体は、真理・真実を満たすことの、無意識の行為なのである。ちなみに、絶対領域では、既に、常に、魂の獲得を満たしている。それから、魂と一つになること、一体になることは、その一体感を顕現させることが、世界の人間の渇望なのである。前述からも解るように何もしなくとも同様である。何もしないことも、〝する〟ことであるのだ。（後記に論述しているが、図4にて理解できるように〝こじ開け〟は無限のものになり、だから、即のものであり、永遠のものであり、常に世界にて行われている行為なのである）この段落で述べたことは、哲学根拠のない産物の言葉である、私の人生的思想的見解の展開である。と言ったが、私の人生思考体系的、だから、私の人生思想的であると言っているだけで、思想家の方の〝思想〟を甘んじている訳ではない。それは、言っておかなければならぬ。話は飛んだが、全ての〝する〟ことの行為が、世界をこじ開けようと、魂を得ようと試みるものなのである。

孤独による人間の求めるものは、日頃認識領域―相対・有限領域では、その行為に、真と偽がある。人間は真―真の孤独に対して恥じない〝シロモノ〟を実践すべきだ。もし、行いが偽であっても、その中に、真の孤独に恥じない〝シロモノ〟が核心的に含まれているなら、それは、真の行為に値する、と述べたいのである。そして、日頃認識領域―相対・有限での、真偽に関係なく、この書や「見つけました、魂を」の事実、世界をこじ開け、魂を求めることは、即で永遠に満たされている。絶対・無限領域では、そうであるが、そして、全ての〝する〟ことが、魂を得ることである。しかし、真と偽が日頃認識領域ではある。日頃認識領域のカラクリであり、偽である場合、魂を獲得できない、顕現できない、真の孤独である人間―人間の基本的スタイル―にとって、深刻な状態なのである―日頃認識領域では。(真と偽があるのは、絶対・無限領域から、相対・有限領域に働いている理のためである、ことであろう)。人間は、魂を得るのに、真と偽の行為がある。人間は、魂を得る、真の行為をすべきなのである。

## !自ら哲学者という、一つの理由

―私が哲学者であると自ら(私しか言う人がいないから)言う理由は、以下の作品からである(これだけの理由からではないが)。それは、『ほら、ね!』で記載してある、「私の欲望」を参照されたい。〝する―している〟のは、なぜ？　させられているのは、なぜ？（能動的、受動的に関係なく）。することから人間は、逃れられない！　私たちは、何もしなくても、流されている―〝する〟をしているのである。なぜ〝する〟しているのか？〟という哲学の問いに対する、私の向かい方―態度を記しているものであろうし、私の哲学の初心であり、その行為は哲学をしていることに気付かれたい。そして、「私の欲望」は、哲学することにより、〝する〟ことを否定している私の本分からして、哲学することをしてはいけないのに、哲学をしている。その哲学が無意味・やってはいけないことをしている、ということで「私の欲望」自体を消滅しているのである。語ったことが、意味ないものとしているのである（と、「私の欲望」を書いた後、何年か後に気付かされるのである）。だが、このようなことを説明したが、私は未だに〝哲学〟とは何であるか理解していないのであるが。それと言っておくことがある。それは、その問いの哲学を初め、哲学し納得した、し終えた時点で、その哲学の問いが解る、ということである。これについては、私の記憶―思い込みによれば、哲学者永井均さんが、「自分の哲学をした後に、その自分の哲学の〝問い〟が、解るものである」のようなことを言ってらっしゃったことに、触れないわけにはいられないであろう。私は「私の欲望」を哲学し終えたとき、この哲学の問いが解った。そして、哲学者永井均さんの言われたことに、再度触れると『本格的な哲学は、その哲学の中にその哲学を無意味にすること、消滅させることを内存させている」とも哲学者永井均さんは、言っていたように記憶している。だから、前述のような、気付かされが可能になったに違いない。やってはいけないことを、〝「する」を、確かなものがないのに、正しいものがないのに、「しては」ならない〟（私の欲望の〝問い〟「すること）を「私の欲望」は、しているのである。哲学しているのである。そして、最後に、〝確かなもの、正しいことが解らないのに、「する」をしてはならない！〟と自分に突っ込んでいるのである。その、突っ込みも「して」は、ならないのである。あ、これも。限がない。これが、私の生と死の壁がなくなった状態で、哲学する―「私の欲望」を書き記したものである。

## !私の経験した、プラトニック・ラブ

下記段落にて書き下ろすことの前に、以下の（　）のことを記しておく。この内容は、「人間は無意識のうちに、魂を探している」ことの下記以降の段落についての話を豊かにするものとして書いたものである。そして、私の人生の体験による真実を、自ら、そのことを記すことにより、頭に真実を記録―頭脳に複雑に眠っている出来事を明らかにするため、書いたものであり、それから、この書でそのことを述べることは、無意味ではないと、思い、書かせてもらったものである。では、その中身とは、以下の通りである。

（私は、環境をある意味、洞察、いや、妄想―現実と結びつく―だから推測、想像をすることに、ある程度であるが、私が私で思うに、私の中では長けているようである（痛感している訳ではない。そう思うかな!?　的な感じである）。以下のこの恋愛話も、私の告白

しなければならない環境を妄想的にか洞察か、うっすらと、体のどこかで、理解していた。が、以下、これらの事柄などであるが、私には今までの人生で、これらの妄想・洞察を他者に、現実に言葉に出来ない、行動できない、でいるのである。もし、これをさらけ出せば、私はこの妄想・洞察を否定されることが、大変怖いのである。私の人生を否定された・存在を否定された怖さに襲われるのである。そんなところが、私にはあることを前置きに語っておく。

しかし、左の恋愛の展開では、私のこの恋愛で何度も告白している（ということは、そこでの環境を妄想・洞察したことを、行動―行為しているのである。これは、私にとって大変危険なことである。だから、告白して断られる度に、傷を深めるのである）。それは、私が環境を妄想・洞察して、さらけ出した行為であった。無視（悪気がない様に黙っているか）されるか・断られるか、されるこの告白、私はおそらく普通の告白とは違う、更に深い傷を刻んで私の精神状態はボロボロに至ったのである。究極的に、疲れ果て、この恋愛話のクライマックスを迎える。

このクライマックスの環境は、私が昼食を終え、机にもたれ、この時期（とき）まで続いていた、疲労のため居眠りをしていた時、周りは、彼女と結ばれる内容を、私が帰りの定時に告白する、ことを話題内容として私の周りで言葉を飛びかわしていた。確かに、私は疲れ果てて寝ていたが完全に寝入っていた訳ではない。薄らと環境の声が記憶に触れていたと思われるのである。クライマックスでの環境ではその記憶も手伝っているだろうが、クライマックスであると妄想・洞察していなかったが、私は今思う私の長けているという環境妄想・洞察をその状況環境を、体のどこかで理解していた。しかし、今回は（会社のみんなの声に反応すること）、今回の恋愛のいつものような、さらけ出し（告白）が出来なかったのである。（それは、昼休みに机で深くではないが眠り込んでいた為、環境からの飛び交う言葉―サインを見落とし疲れ果てて寝ていた、ということもあろうが）。それが、不運を生んだ、とも理解しているのである。これは―以上は、私が私に対する断片的自己理解である。私は、この意味、パラノイアか自閉症的傾向であるのかもしれない。この恋愛談の真実性―公平さを記すため、このことを知って頂き左の恋愛話を理解して頂きたい。そして、前記のような語りから、ある色合いが付けられ味わい深いものになると思う。ちなみに、私の精神病は、この恋愛後、完全に廃人同然までに陥りある意味、開花した精神病で、昔で言う、分裂病である。―そして、この恋愛に敗れ、私はこの病と闘い、だから、一人の女性（彼女）を愛していた（おそらく愛である）心の豊かさとは裏腹の、孤独―何もない乾ききった大地に独り居る―に対してモガキ、這い上がろうとしていたのである。

では、恋愛の語りに戻りたい。しかし、この段落も残念ながら（この書が哲学書としての観点から、そう言うのであるが（が、哲学以外のことを添え書きしても、これは、この書を作成する有意義（哲学することにとって）であると判断したのである））、私の私的な体験から、恋愛について語っている、体験談である。故に、この段の語りも、哲学ではないものである。では、この話に入る。恋愛は魂を得るための手段である。これは、性的な行為ではなく純粋な愛のことである。これは、私のある体験（体験したから、そのことが真理・真実と言う訳ではない。そのことは、哲学者であるならば、哲学に精通している方なら理解していることであろう。しかし、〝体験〟というものを、〝世界〟を哲学し、捉え直したら、体験―真の魂に刻まれた体験は、真である、と解釈されることに成るかも知れないのである。それも、考えられなくはない、とここでは、言っておこう）から〝愛〟が魂を得る行為である、と述べている。ある体験に抽象的に軽く触れよう。それは、思いを寄せていた好きだった女性の友達である彼女、をあることで好きになった、初めの会社（東京都のとある市）での妄想的・洞察的プラトニック愛であった。彼女と最後に結ばれるはずであった会社の帰宅するところの定時過ぎ、私は仕事を継続していた。仕事場の周りの人が私と彼女とを囲むように「二人で自転車に乗って帰るのかな!?」などザワついていた。しかし、それまで、「彼女を守るためならなんでもする！」という心の底から、いや、魂から真摯に続けた行為は、その時点で一旦途切れた。彼女とは、出会って半年くらいの短期間であったが、そして、愛そう、としたのはそのまだもっと短期である。勿論、その愛そうとした、3年間、好きだった女性には、「諦めます」と手紙を出した。そして、彼女と結ばれる機会の最後の場の、実は昼間に振り返れば前兆―前置きがあった。

それは、〝私が彼女に告白して結ばれて二人で帰る〟、という噂だったところの、頭の片隅の記憶だ。その昼食後（昼食を終え、仕事の自分の席に帰った後のことである）仕事場の周りの飛び交う言葉を掴むのに、私は周囲の環境に配慮することの気力もなく、疲れ果て眠ってしまっていた。結ばれる最期を知っているのは、事件の後から思い出したもので、ある結末の現実からと、私が疲れ果て机で寝ていた時の薄らとした、私の回想である。ある結末とは、会社の帰宅するところの定時に人々が集まりザワつき、彼女は仕事をして（いるふりをして）いた。しかし、告白してこない私に、こんな設定（仕事をしているふりをしていながら、周りの会社の人々が彼女と私を囲む中で）で、そんな環境で告白しない私に「とんだ恥をかいた！」と怒ったのか、机をバンと叩き帰って行った。この彼女を怒らせた出来事は、彼女に告白し断られた、言い方を悪く言えば、〝仕打ち〟という産物により（なぜなら、告白する毎に、無視されるか・断られるかする、私には勇気を振り絞って行った告白であり、深く心は傷ついていた）、私と彼女との、互いのイーブン的出来事であると考えた（好意・信頼を抱いていると無意識にか前意識的にか確信していたからであろう）。

何度も告白をした（告白の後半は、会社の周りからの声―サインで告白していた）が、何も言わないか断る彼女だった。初めての告白のきっかけとなることが、起きた。私は机に座っていたが、女子トイレから聞こえる大きな真剣な声が、彼女と女性の間で部分部分聞こえた。その言い争いは、好きになった彼女が、他の女の子に何かを言われていた。それは、聞こえた言葉から妄想・洞察するに〝私のことを好きである、彼女が、友達から私を奪った〟というものであった。初めての告白は、それを、助けるため、私は仕事で、あるところに行く彼女に（周りに誰もいないところ）「好きです」と告白した。彼女は、興奮して言った。「まだ解んないの、あの子は（あなたを）好きじゃないの！」と。

しかし、あの子（3年間、好きだった女性）と結ばれるように、私とあの子の間に入った時の彼女の態度―言い方と違っていた。私は、私が好きであった、その女性の情報を得るため、彼女の机のところに行き話を聞いていた。はじめの頃「あの子がある男性と結ばれようとしているの。今は事態を待って」と教えてくれた。それを聞いた私は、「そうなんだ、（善人面する訳ではないけれども）あの子が幸せになるなら、諦めるよ（そのようなことを言った）」と言った。そうすると、彼女は「そんなことで諦めるの！」と真剣な顔で言った。そして、彼女も、そんな強く思う恋愛を望んでいるんだなぁ、と感じた。私があの子に3年間思いを寄せ、告白していたことを彼女の友達への思いを（私には後先ない真摯さ―自分で言ううさんくささを感じないですか？ ―を）知っていたからだろうかも知れないが、私は彼女が諦めないで思いを伝える態度、を女性は望んでいる、少なくとも彼女は。そう理解した。いい子だなぁ、（諦めないのがイイことと言う訳ではなく、ある筋金の通った女性、そして、その真摯さから、正義感のある）とそんなイメージや、信頼できる人だと思った。そう、彼女に信頼という人間同士が抱く確かなものを抱いた。

その初告白に話を戻すなら、あのセリフと違うのだ、前記の時の、その表情と態度とが、逆転していた。彼女は勘違いして答えたが、私は続けて「いや、あなたが好きなんですよ」と言った。俺を避けるように彼女は、はじめて告白した私に「あなたなんか、好きじゃないわよ」と、逃げるように立ち去った。彼女は、驚いたような困ったような感じでもあり、少し隠し嬉しがっているように、立ち去ったような感じがした。正直、私は告白にイエスの回答を望んでいつつノーの答えを待ち構えていた、私のこの告白は普通とは違い、こうだった。彼女に告白して、彼女（トイレで責められている、その事柄を克服解消するために）のイエス・ノーのどちらを選ぶか、で彼女への私の態度を変えようと、私は告白したのである。

その時私は、彼女が私に好意を抱いていたと感じていたのだろう。その事実であろうことが私を満足させていた。告白の回答はどちらでもよかった。告白の回答がノーだったから、私はその時に彼女から身を引くことを強く思った。これでトイレの事件を救える、と確信した。私は席に戻った。ある時間が経ち、私が彼女に告白したことが周りに知れたようだった。というのは、周りが少しざわつき、「断ったって」みたいなことが、周りで薄ら聞こえていた。それから、少し置いただろうか、私のことを好きであると、彼女は、周りにというか、他者に伝えたようだ。それが、恋愛倫理の周囲での問題となった。罵声が飛び交ったことは、言うまでもない。それからというもの、彼女の態度がしなやかになったのを感じた。私に隠すことは何もない、ということなのだろうか、そして、なお且つ、周囲―会社のみんなに伝わったようである（ちなみに、前好きであった子と私との当時の関係を、会社の―周囲の人々は知っていた。なぜ、それが解るかと言うと、町山、もう諦めろ！　会社での話題が強くなっている。とある同僚が教えてくれたからだ。その延長線上にある私の恋愛に、急展開した恋愛事に、周りが無関心である訳がない）。その直後、告白したかどうかはよく覚えてないが、一時開けたのだろうか、募る思いが心からこぼれ出したのだろう、堪らなく、告白した。彼女の机でだったが告白したら、その子は体をビクッとさせ黙っていた。恋愛倫理問題が問題になり飛び交う私たちへのきつく辛い環境からの声から、私は精神的態度で彼女を守ろうとした。そう、私は毅然とした態度で、私の魂で魂を込め、彼女の魂へと〝守る〟という包容で心は彼女を見つめながら、繋がる心に（意識はしていないが）〝守る〟を乗せ伝えた。

色々な闘いの中、辛い日々が続いた。が、ある時期が来て、恋愛倫理問題が解消され、周りは「好き合ってるなら、それでいいじゃん」になった。それから、私に周りから〝告白しろ、今がチャンスだ〟みたいな声―サインが出されるようになった。私はその度、告白するのであった。しかし、告白するにも、何も言わないか、無視されたような、頼りのない記憶しか残されていない。そんなこんなで、最後の設定された告白、言うなれば、これ以上ない成功間違いない告白タイムを迎えるようになったのである。それは、前記してある、最期のチャンスのことである。繰り返すが、彼女がある意味、恋愛に対して一本筋の通った女性だな、と感じていた。そう、彼女を深く信頼していた。が、告白する度に、その現実に傷つく私、それに対し結末の傷つく彼女の怒り、それが、まとめるとイーブンであると、私は考えていた。と言うより、告白しなかったという事実から、少なくともイーブンである、と理解したのだ。だから、私は、その出来事に後悔や失敗など感じなかった。

その事件直後、私は何も焦りはしていなかったのである。私はいつものように、残業をした。その翌日であろうか、何か気になっているのであろう。落ち着いて彼女に電話した（休日であったのだが、出勤していた先輩に、彼女の電話番号を聞いた。先輩から〝解った！〟と真摯な声で会社の電話から、彼女の電話番号を、聞き取ったものである）。私が名を告げると直ぐに電話を切られた。私は〝やばい！〟とこの時、初めて感じた。そして、二回目の電話をし「切らないでください！」と即座に告げた。話の初っ端から、彼女は怒っていた。そして、途中から泣き始めた。その電話の結論だけ言おう。私に彼女は泣きながら言った「（責任をとって）辞めてよ」て。「じゃないと、私が辞める！」と。これを言われた私は、辞めることに対して「え、辞めるのかあ」とは強く思わなかった。そして、私には現実的にはリアリティーに欠けるが、やりたいことがあった。だから、私は責任感と怒りとが、いろんなものがうごめき、こう言った「やりたいことがあるから、俺が辞めるよ」と。勿論、彼女を辞めさせない為である。彼女は「絶対辞めてよ！」と、泣き怒りながら言った。最後に私は彼女の意志の固い―頑固になっている、ことに半分腹を立てたのであろう「何を言っても、ダメなんだね」と怒り気味に冷静口調で言った。それから、電話は終わった。

これは、私が26歳の時の出来事である。その当時公衆電話が多々あった。前記の電話も公衆電話であったが、その会話の二つ目（二回目の電話）の公衆電話を出た私は世界が―風景が灰色に見え心の重くなるのを強く感じた。そして、会社が設けた家（アパート）に帰った。

（簡略化し過ぎて誤解―私の妄想的恋愛である―を招いてはいけない、と思うので一言言うと、彼女は「これまでの、ことは、どうなっていたのか〝私〟には知る権利がある。」と私に訴えていた（そのとき私は、見えないことを語っても仕方ないよ、と言った（この時、私は、哲学の〝て〟の字も知らなかった、ちなみに））。これから言えることは、少なくとも彼女―この電話をした子との間には〝何か〟があった、のである）―時が経ち私は会社を辞め、東京都のある市のアパートで一人暮らしをはじめた。記憶が定かではないが、少なくともその時既に、私は完全な精神病になっていた。―どんな状態かは「私の欲望」を読んでもらいたい（病状は軽く触れている）―。ある時、私は部屋にいて〝有り有り〟と胸に存在する〝魂〟を痛感した。関係のなくなった彼女との愛がまだ残っていたのだ。というよりも、まだ彼女との〝愛〟―〝約束を守る〟それは、前談している最後の電話でのこと、（どんなことがあろうと二度と告白をしない、という約束）という愛の営みを続けていたのである。

　最後にこの段の話をリアルにするために記したい。それは、彼女は私が辞めた一か月以内に会社を辞めたこと（私が辞めたのは彼女を辞めさせないため、だったのに）、それと、会社の同僚が「あの子はアメリカに行くって」「最後のチャンスだから告白しろ」と居酒屋で言ってくれたが、私には彼女からの約束「どんなことがあっても、告白しないで！」ということを守った。確かに肉体的にも結ばれたいが彼女との〝約束〟を守った。〝どんなことがあっても、彼女を守り抜く・彼女との約束も守り通す〟ということを短期間で集中的な愛であると思われる、ことを実践した私の恋愛談である。（今思えば、二人結ばれるために、二人会社を辞め会社外で結ばれよう、と彼女が策を敷いたのかもしれない。そして、会社を辞めたなら、約束である「どんなことがあっても告白しないで」ということを解禁してもらいたかったのかもしれない。その策で、私たちは結ばれる、と（私にとってみれば、）一流の会社を辞めてまでも、彼女は、結ばれたかったのだろう。これが事実なら、最後まで私は彼女に、悪いことをした。しかし、彼女よ、私は、その時の私なりに全力でその恋愛に、取り組んでいた真摯さだけは、受け入れて頂きたい）―添え書きしとかなければならない。私は人を愛するなど、出来ない人間であることを学んだ、と。これは、痛感だ。

このようなことを書いてしまったが、そして、意味のよく解らないような内容であるだろうが、私が若い時分、真剣に（孤独ゆえ）愛すること、と向かい合い実践したことを感じて頂けたら、それで、この話は役を果たす。あ、それから、真の孤独に恥じない〝シロモノ〟という観点から、〝公平さを保つために言っておかなければならないだろう。だから、愛だけではない、魂を得るものは。真の孤独に恥じない〝シロモノ〟が魂（絶対・無限で普遍な確かなもの）を獲得する、得るものである。顕現するものである。と言うことを。

愛を讃美してはならない。私が讃美しないから、するな、と言っている訳ではない。悪であっても、真実の愛をミツメ、実践すればいいのである。そう、思う。その愛が体得できたなら、その愛にて、真に世界をこじ開けることが出来、人生の結論や真理・真実の魂を、得ることが実現できるのである。この書の前半で述べるのは、控えたかったが、魂は、言いかえれば存在のことである。「見つけました、魂を」でも、述べているように、神や真理・真実など、言いかえてもいい。

**@「で、世界が解ったところで、私はこう切り出します。「人間は無意識のうちに、魂を探している」と。」に帰って**

**!証明―その2**

「で、世界が解ったところで、私はこう切り出します。「人間は無意識のうちに、魂を探している」と。」に話を戻す。このことを「見つけました、魂を」で言い切ったのは、私的真摯な思いからであり、魂―絶対なもの・無限なもの・普遍なもの・真理、真実・確かなもの、などを必要としない、得てみたくない、興味のない方には「見つけました、魂を」を読んで貰えなくとも構わないものである。そう、ここで言い切ってもいい、と私は理解する。魂―絶対なもの・無限なもの・普遍なもの・真理、真実・確かなものなどに惹かれない方は「で、世界が解ったところで、私はこう切り出します。「人間は無意識のうちに、魂を探している」と。」という前論切り的論下りを論駁することは、不適当者と理解するのである。相対・有限のただ、それだけに（無意識であっても、魂―絶対なもの・無限なもの・普遍なもの・真理、真実・確かなものなどに惹かれても憧れてもならない）、だから、魂―絶対なもの・無限なもの・普遍なもの・真理、真実などに惹かれない方には「で、世界が解ったところで、私はこう切り出します。「人間は無意識のうちに、魂を探している」と。」が理解浸透されない論語りであるに違いない。

人は恋愛―愛（色々な愛の形態があろうが）や個人的な究極の趣味（孤独と向かい合っても恥じないシロモノ）―それは、自分という一人の人間の才能を愛することである。愛とは、色々な対象があろうが、基本的に思いつくのは〝人間〟への愛である。であるからにして、〝自分という人間を愛さないことは理論的におかしい。〟そのことを言ったのは、精神分析学者・社会心理学者・思想家である、E・フロムである。「自分を人間の概念に含まないことは、人間の概念としておかしい、と。」言うわけである。自分も人間であり、一個人として愛する、という訳だ。人は愛することにより、魂―無限なもの・普遍なもの・真理、真実などを、得ようとしている。そう、人は愛することにより、魂を求めているのである。断定的に言うが、愛とは魂と魂の関係だから。究極までのいい訳をすると、この哲学書を読む人は、魂を求めている人に、限り読んでもらいたいものである。と突き放してもいい。更に、付け加えたいが、誤解、いや、言いたすなら、魂に値する（絶対・無限なもの）ものそれらは、神や愛、存在、真理・真実などと言え、（これらの好きなものを魂と置き換え、理解されれば構わないのだが、これらを、求めている方は―「見つけました、魂を」やこの書を、是非、読んで頂きたい―、）孤独に向かい合い恥じないシロモノなど、を満たそうとしない方には読んで頂きたくない、のである。しかし、この書を読んでこれらを、必須と感じたなら何度でも読んで頂きたい、そう思うのである。

　ここまでの、「で、世界が解ったところで、私はこう切り出します。「人間は無意識のうちに、魂を探している」と。」の真摯的感情的な論述になったことの反省をし、次の論述で「人間が無意識のうちに、魂を探している」を証明的に論じたい。

## ！証明―その3

「哲学」という論述にはなっていないかもしれないが、そのこれを書いている今の私に対して「哲学」と言うものになっていないことが歯がゆいのであるが、左記の論にて述べた。消極的に言えば、左の段落は前段落を一般的に論述しようとする、段落にはなっているものである。―だが、「哲学」をよく知らない私にとって、下記は〝私の哲学的〟表現である、論述である、と言い付け加えたい。とも言えるのである。

　まず、私たちは、私の言う日頃認識領域に生きている、と（人は）理解する。それは、時間が流れ、立体が支配する、〝変化〟する世界である。大半の人は物より大切なものはない、そう思っている。いや、これを述べている私を含めて、綺麗ごとではなく物（勿論のこと、金を含む）を一番大切なものにしている、思っている。その行為はある現象であると、私には思われるのである。日頃認識領域―森羅万象、変わりゆく世界には〝確かなもの〟が欲しいのである。普遍で無限なものを欲しがっている。でも、無い、という認識（見えない）が故、物にしがみつくのである。そんな藁をも掴む事態に私たちは、その観点からすると、おそらくは、恋愛を求めるのも、確かに生息する〝性〟というものを求めるのも、真の〝愛〟というものを求めるのも、これらに値する。物以外でも、私たちは実践しているのである。私たちは愛したがる―愛することは、魂への取得―のである。〝性も愛〟も魂に至る行為であり（普遍で無限で確かなものへと至る行為であり）、性については男性でいうなら、一瞬的な魂への獲得であるが、真の愛については、魂の完全たる獲得なのである。私たちは、愛を通して、自分というものを誰であるか知り核心付けられた純度100％の自分を得ることになるのである（例え、それの大半を無意識に記憶されようとも）。その段階になるには、数多くの階段を進み愛さなければならないであろう。しかし、一瞬！と言われることもあり得ないとも言えないだろう。おそらく、その場合、片方に、もう既に完成されている〝愛〟が存在していることであろう（愛、それ自体は絶対・無限な確かなものであり、既に完成されているのだが、本人がその愛をどの位獲得できるかである）。それ故に二人の愛は、一瞬！という愛を成り立たせるのである。勿論、一瞬の愛が成立するためには、他方にも愛する能力が磨かれている必要がある。と私には理解されるのである。

森羅万象の限りあるものの美しさとも言えるが、私たちは、その確かなもの―普遍なものがない（見えない）が故に、〝苦しさ〟を味わっているのである、心のどこかで。魂―

普遍で無限で絶対で確かなもの、実は私たちはこれを一番に核心的に現実の社会において直接獲得し、実現しようとしていなくても、切に求めているのである。いや、実は一番に核心的に直接獲得し、実現しようとしているのである。が、その難しさ故、それに代わるような、自分が得ることのできるもの―擬似的な行為―を切に求め、行為しているのである（魂を得ようと、実践しているのである）。ここで、愛に無関心な方がいるであろうから、こういうことも、言っておきたい。それ―擬似的行為によって、多くの人間は誤魔化されている。人間の基本立場は〝孤独〟である。それは、愛する人間がその愛を無くした時に、得るものである。顕現するものである。愛の反対は孤独である。勿論、（再度言うような形になるが）真の愛で真の孤独を得ることが出来る、その真の愛を無くした時に。それを克服する（話的におかしいが、別に克服しなくてもいいのである、何の哲学的理由がないではないか（しかし、〝孤独〟というものは少なくとも激しい恐怖・不安と不確かな現象世界である、から、人間は耐えきれず、魂を求めるのであろうが））核心的行為は、〝真の孤独〟に耐えうる、もしくは、少しでも耐えられる、〝モノ〟それは、〝真の孤独〟に恥じないシロモノなのである。実はこれが、この〝真の孤独〟こそが、人間の立場にかれた、人間にとっての素朴的自然な姿―スタイルなのである。（このことは、精神を病む事態である）少なくとも人間だけでも、言えることである。だから、それを克服する核心的行為は、〝真の孤独〟に耐えうる、もしくは、少しでも耐えられる、それは、〝真の孤独〟に恥じないシロモノなのである。「〝孤独〟に恥じないシロモノ」が魂を獲得するモノなのである。その一つが人間関係論的本性―愛なのである。「孤独と向かい合い恥じないシロモノ」の一つが〝愛〟に過ぎないのである。だから、孤独と向かい合い恥じないシロモノ、は無限に〝ある〟に違いない。少なくとも愛だけではない。ということである。

孤独、〝孤独〟というものは少なくとも激しい恐怖・不安と不確かな現象世界である、と言えよう、だから、人は切望している、それを克服し魂に満たされた人生をおくることを。故に、魂を獲得せねば、魂の獲得以外に耐えられるものはないのである。善いも悪いもない、魂が人間世界・世界にとって、暴力であろうとなかろうと、私たちは魂を得ようとしているのである。私は、魂が善いものだから得た方がいいと言っている訳でもなんでもない、少なくとも、人間世界の核心がそんなカラクリであるということを言いたいのである。世界にはおそらく、無限数の理が機能し続けている。それから、人は逃れられない。その中の、というより無限数の理を一つにした、少なくとも、人間世界の核心的世界中心に位置するもの、と言えるような、真理の一面、と言うべきカラクリを述べているだけである。それは、魂を獲得すること。愛とて一般的には善いものだ、と評されているようだが、その真実は解らないのである。人間に「して」善いこと悪いことがあるなら、愛することは善いことである、と絶対真理として誰が言えるのだろうか？　もし、断言できる方は、私の創造した哲学書「見つけました、魂を」やこの書は、絶対善で―喜ばしく、好ましく感じるに違いない。それを、だから、善悪を超えたようなことを、心のどこかに置きながら私の語りを見つめて欲しいのである。

　そして、一般世界は分類される、そう、日頃認識領域—相対領域は、善い悪いなどと、一つのものを二分するものではないか。もし、魂・魂を獲得する、愛やシロモノ、それらが悪なら私は悪いことを皆様に述べて薦めている。しかし、善いとは何だろうか？　悪いとは何だろうか？　私はそれを省みず述べている（一般的に言うなら、「お気をつけください、この書や「見つけました、魂を」など私が述べるもの—凶器に」である）のである。一般的な魂・愛への評価と私の魂・愛・シロモノを重ねてはいけない（と思う）のである。—シロモノ、愛を求めて、何かを駆使してか、私たちは魂を切望しているのである。だから、〝愛〟は真の孤独を少しでも立ち向かえるような、克服するような、一つのモノに過ぎないのである。そういう風に、言えるのである。人間は、「〝孤独〟に恥じないシロモノ」を早く（自分の人生での転機が来たなら）知り（知らない人は）、ある外観から言うと、それを発見して（発見したとは、気付かないかも知れないが）、奴隷の如く行為しなければならない、のである。そうすることが、魂を獲得する少なくとも大半を占める、方法（真の孤独と向かい合い恥じないシロモノを実践すること）なのである。実はその営みが、人生なのである、生なのである。付け足せば、〝奴隷の如く〟とは言えども、そのような人間は、奴隷になっていたしている、などと思いも感じもしないだろう。ただの、好きな行為をしているだけだと（魂を得ることに、精通した人間ならば、このように思うに違いない）、感じるに違いない。—そして、このことを、付け加えないといけない。それは、前記の実践など、奴隷のごとくなど、私は少しもしていない。無責任な奴だ！　と思えばいい。私は、史上最低な哲学者であるのだ!!

「で、世界が解ったところで、私はこう切り出します。「人間は無意識のうちに、魂を探している」と。」を哲学として（その1、その2、その3）、そして、真摯なものとして、切実なものとして論じようとしての、私の気持ちは伝わったであろうか？　頭の悪い私にとって哲学として論じることは大変難しいことだ。必死だと感じてくれたでしょうか。―というと他（哲学以外）の論理なら容易く出来る脳なのかい！　と言われるとこの書を見れば解るように「へぼへぼ」です。ということですね、真相は。だから、私には世界の全てが難解です。でも、呼吸をすることは容易い？　しかし、年をとれば死が向こうからやってくるならば、クタバリかけ、死にかけの私としては、この呼吸も難解である。

## ！哲学的証明

「で、世界が解ったところで、私はこう切り出します。「人間は無意識のうちに、魂を探している」と。」において、ここまでを論じたが、まあ、前段落達もいいとしても、以下のことを私の哲学として論じたい。それは、こうである。私は、一冊の哲学書を一回しか読んだことがない、そう言える。だから、哲学が解らないでいる。しかし、「見つけました、魂を」を生みだしてから、振り返って考え理解するに、論述・論理というものでʺ即ʺの出来事を引き伸ばして、哲学書は出来ていると知るのである。おそらく、他の哲学者の哲学書もこのʺ即ʺの出来事を、論理として引き延ばし創造されたに違いない、と私は（強引にか）理解するのである。〝即〟であるからにその出来事を引き延ばしているということは、論述・論理の結末を検証せずに、その前の論述・論理を、だから、その言葉を論駁することは、〝即〟の出来事を論述・論理というもので引き伸ばして、哲学書は出来ている根本を無視している。その哲学書の核心現実存在を否定している、ことなのである。「で、世界が解ったところで、私はこう切り出します。「人間は無意識のうちに、魂を探している」と。」は、その後論にて、〝こじ開け〟が無限に到達し、その無限に達したことにより、こじ開けが無限になることで、無限に〝即〟〝永遠〟なされる行為になるのである。であるからに、「で、世界が解ったところで、私はこう切り出します。「人間は無意識のうちに、魂を探している」と。」は、〝こじ開け〟が無限に―〝即〟なされることから、その「で、世界が解ったところで、私はこう切り出します。「人間は無意識のうちに、魂を探している」と。」は、必須の論述・論理であり、であるから、無限に―〝即に〟〝永遠に〟「で、世界が解ったところで、私はこう切り出します。「人間は無意識のうちに、魂を探している」と。」は、なされることになるのである。世界を知るなら、魂が存在していることを考えると、こじ開けがないと魂は発見されないことであり、その「で、世界が解ったところで、私はこう切り出します。「人間は無意識のうちに、魂を探している」と。」が、現実には、世界がこじ開けられ、魂が（即に永遠に）存在していることから、この語りは、言い遅れたことであり、世界にて、常に、無限に―〝即〟〝永遠〟に、思い、致していることなのであり、「見つけました、魂を」では、無限回こじ開けられ（即に永遠に）、魂があり続けているのである。そう、だから、〝即〟であるが故、それは、「で、世界が解ったところで、私はこう切り出します。「人間は無意識のうちに、魂を探している」と。」が真なり──論述・論理上間違いではない、となっているのである。（世界の）初めと終わりが、同じ（同じもの）である。そう、〝即〟とは、初めと終わりが同等のもの、であるのだから。そして、無限であるから、「で、世界が解ったところで、私はこう切り出します。「人間は無意識のうちに、魂を探している」と。」が、〝即の永遠〟に為されることなのである。ここの段では、魂を獲得することよりも、探すことを優先したような、論になっている。しかし、魂を探すことは、魂を得なければ、魂を発見、出来ないことであり（魂を獲得その時していなくても、魂を見つけるには、その時、魂を獲得しているのである）、ここの論は今までの、力説を無視しているではない。

これが、私の哲学──いい訳である。

## @「見つけました、魂を」での、知った問いとは

「見つけました、魂を」は何がしたいか？　この「見つけました、魂を」でのしたいことは、魂を見つけることである。魂の獲得とは無関係の問いである。「見つけました、魂を」で、26歳の時の私がしたかったことは、35歳の時、「見つけました、魂を」を創造したのは、以下の問いの理由からである。それは、私は、愛を失い孤独に強制的になったが、期待、環境故か、左胸に何か（魂）が生き付いていた（独りでの愛の継続）。こんなに〝有

り有り〟とある―何か（魂）が、存在するのに、「なぜ、見えないのだろう」と痛感したから（哲学し終えた後から気付くことであるが）、「見つけました、魂を」を哲学し、追い求め、その問いを知ることが出来たのであろう。だから、「見つけました、魂を」の私の問いとは、〝魂がこんなに有り有りとあるのに、なぜ、見えないのだろう〟ということである。前段落以前の力説は、魂の獲得であったが、私は、生き付いていた時の魂が、見たかったのである。見えないのが不思議、だったのである。「見つけました、魂を」、では。だから、魂の獲得とは、無関係なものなのである。

## @魂を見たいことと、得たいこと

力説にて論じられたこと、魂を獲得することとは、「見つけました、魂を」の問いではないものである。だから、有り有りとある魂を、見えない不思議さから見たい、と哲学された「見つけました、魂を」の問いと私―人間の土台から求めるものは、違うものである。が、しかし、私は「見つけました、魂を」を哲学し、〝真の孤独と向かい合い恥じない、私のシロモノ〟（35歳の時だったが）を実践し魂を獲得したのであり、その観点―魂を獲得することは、この営みは、必須なのである。再度言うが、その営みとは、「見つけました、魂を」を哲学することで（魂を見たくてしたこと）〝真の孤独と向かい合い恥じないシロモノ〟を実践して魂を得たことである。間違いなく、人間は、私を人間と認めてくれるなら、魂を獲得するという、営みは人間の土台から求めることであり、何度も、力説したことは、無意味ではないのである。前段落で〝魂の獲得とは無関係〟と言ったが、大いに関係があったのである。

が、この書は、「見つけました、魂を」を再び考えることであり、その問い――〝魂はなぜ、見えないのか〟ということを、この書でも問いにしたい。と言うか、そうするのが、当たり前なのである。だって、この書は、「見つけました、魂を」を再び考えることが、目的だからである。だが、力説した、魂の獲得も、この書で言いたかったことであり、述べたことを削除せず、反対に大弁したい。であるからに、この書において、大切な、語りなのである。

## @魂は神とも、置き換えられる

では次に、「魂は神と言いかえてもかまいません」とあるが、これは、絶対なもの・無限なもの・普遍なもの・真理、真実・確かなものなど意味するという意味で、神でも愛でも前文に相当するものは何でも言いかえていいのである。魂を平たく言えば、〝存在〟ということなのである。

## @こじ開けと魂の続出

「その思いは、世界をこじ開ける、という行為をもたらします」これについては、もし、魂が見えるという方には、不必要な行為であることだろう。いや、魂を見失わないように、するのである。魂を見たもの（魂を見る、ということは、無限・絶対領域での出来事であって、魂を得ていない人には出来ない事柄である）─魂を得た者は、能動的に求め続けるのだ。

こじ開ける行為で、魂を見つけることは、そう、話を戻すが、無限─〝即〟に〝永遠〟に、世界をこじ開けることは、為されているのである。これが現実である。人が物を探すとき、どんな行動に出るであろうか。まず、周りを見渡す。そしてない場合は、邪魔であると思われる物を除ける作業に入るのではなかろうか。魂を探すとき、その邪魔なもの（反対のもの）─相対・有限である領域を除ける、だからここで言う「その思いは、世界─日頃認識領域（相対・有限）をこじ開ける、という行為をもたらします」となるのである（後で述べることであるが、〝こじ開ける〟ことは、無限になる。であるからにして、常に〝こじ開け〟はなされ続けることになる、例え世界が〝無限世界〟になろうとも─だから、魂を見つけることが、成功したとしても、〝こじ開け〟は無限─即・永遠になされる）。究極には、魂が見つからないとの結局は、世界をこじ開けることをするのである。（魂を見つけられても、世界をこじ開けることは、続くのである）。こじ開ける、それは、世界全体をこじ開けるのである。この文については次の段落で「見つけました、魂を」で語っている「図2を見て下さい。上の核から世界をこじ開けます。無限に、だから、最も大きくこじ開けます。」に続く。

## @図2と世界のこじ開け

「図2を見て下さい。上の核から世界をこじ開けます。無限に、だから、最も大きくこじ開けます。」と記しており、それから、「(だって、魂というものは、どんなものか、どこに生息―存するか解らないからです。)」と語っている。それは、世界の端である核を、無限大にこじ開け、その場所から、魂を探すのである。なぜなら、どこに魂が生息―存するか解らないからである。上の核を無限大にこじ開けるのは、その理由である。

## @無限の、筋トレではなく脳トレ

ここで、32頁にて論述した、〝核〟のことを理解してもらいたい。核は(図4以降は)、〝無限〟なものである。であるからに、この〝こじ開け〟は単なる(核を含めた)世界の有限的な―部分的なこじ開けではなくて、無限大に図の世界がこじ開けられるのである。が、それは、図17にて日頃認識領域的に理解できるように、核が∞で(核以外の)世界が∞である。日頃認識的に理解すれば、2∞になる。だから、こじ開けは無限にされるが、日頃認識的にそれを理解すれば、こじ開けは1∞に過ぎないのである。なので、無限ののである核をこじ開けることで1∞が満たされ、核の下の世界は核が無限に広がるだけになるのであり、故に、下記に論述する、三角のこじ開けになるのである(図17参照)。という見解は正しくない。なぜなら、核が無限なものでも核の∞と核以外の世界の∞は、同じ∞であり、無限はいくら倍増しようとも、∞であり続けるのである。然るに、核の∞と核以外の∞は、無限がいくら重なろうと∞なのである。このことを頭に入れて、こういう理由で、下記の論述がなされていることを理解してもらおう。要するに、上の核を無限大にこじ開けたなら、完全全開こじ開けが、実現するということである（図12参照）。（∞の常識を馬鹿げた言い表しで記したが、こんなこと言わなくとも解る、と立腹しないで欲しい、こうすることにより、∞をより確かに再認識できると思ったのである。）この完全全開こじ開けは、日頃認識領域のこじ開け―三角こじ開けにて、行われ、こじ開けが無限になることにより、三角こじ開けの無限バージョン的なことが、行われる。それにて、階層的地層図は完全全開になるのである。

しかし、右の∞についての考えは、結構、〝そんなものなんだ〟的な軽い脳トレに、成っていると思う。

こじ開けは、図2からであり、核をこじ開ける、と言うよりも、器をこじ開ける。要するに、無限というものではない、囲いと言う事柄を意味するものを、こじ開けるのである。図4にて、無限に至るまでは（無限に無意識的変化をした瞬間―三角こじ開け後からは、器ではなく、核の観念（器の意味に〝無限〟が加わったものである）でとらえられる）、図4の無限のこじ開け、になるまでは、〝核〟と表記しようが、器の意味である。

## @図3の前に図4こじ開けを考えてみる

階層的地層図は、図3にて無限になったが（図3ではまだ、図4みたいに「見つけました、魂を」の中では、完成された、無限階層地層図ではないが）、それを、ここでは考えなく、こじ開ける階層的地層は、相対・有限とする。図2が世界であり、図2にてこじ開けをするなら、こじ開けによる逆三角形の一部が力学的に飛び出る。が、こともすれば、無限階層する地層図でもあり、そして、その核は、図的には、日頃認識する個物の囲いと同じものであり、図では、単なる囲いと異なる意味を込めて厚みを付けている。その核の観点からすると、要するに、核外は何も無いのであり、力学的に逆三角形の一部が飛び出すなどないのである。ということは、核は、階層的地層図は、こじ開けにより、下の核が逆三角形の点になり、それを維持する広がり、階層的地層図の広がりを、拡大をするのである。世界は―階層的地層図は、唯一であり、下の核は点を維持したまま、広がりを見せる。勿論、上の核のこじ開けが、無限に至る前の階層的地層図のある程度の、広がり以外は、以前と変わらない核の図として、階層的地層図として、「見つけました、魂を」の、図2のそのままの図である（まだ、広がりを見せていない）、こじ開けられている階層的地層図である。だが、広がりを見せること、それは、力学形成の、だから、逆三角形の形成するものを満たすためにである。力学―力のありどころが、世界内であること、なのである。そう、世界の唯一を満たすためである。器外―核外に世界はない、と。こじ開けによって、世界外（世界外とはあり得ないが）に力が働くのはあり得ない。世界内での、階層的地層図内での出来事で、なければならないのである。世界が、全体なのである。

そして、階層的地層図は広がりを見せ、いつしか（一瞬の無意識の変換により）、こじ開けは無限になる。その時も同様、下の核は点である。無限の真の点になるのである。その図が、図4である。

## @図3・図11について

次に移り「すると、図2だけの世界では、こと足りません。実はこうなんです」とある。この文章も、図3・図11もこじ開ける前に無限化することは、誤りであろう。この文章は、図2のこじ開けから、下の核が点の切り込みになり、こじ開けは広げられ、階層的地層図は、下の核は逆三角形の頂点—核への切り込みを維持するため、広がって行く。こじ開けが無限に至った時、ここでの図3・図11は意味をなすのである。最初から、図3・図11をこじ開けの対象としては、筋道の誤りであろう。

## @下の核の点

次の論述は、「こうなります。だって、広く世界をこじ開けたなら、図2では穴が開いてしまうからです。要するに、こじ開けた結果、最も（図3で言うと）下の核が点にならなければおかしい、ということです。世界の一番端が器なんですから器に点以外の穴が開いてはおかしいのです」このことは、唯一の世界であるということから、図2をまず、こじ開けはじめる。そして、下の核が点になってからは、無限に至るまでの、階層的地層図の、広がりをみせる。「図2では穴が開いてしまうからです。要するに、こじ開けた結果、最も（図3で言うと）下の核が点にならなければおかしい、ということです。」というのは、世界が唯一、という観念からである。ある時から（こじ開けによるものが、下の核に達した時）、ずっと、下の核が点なのである。力学―力も世界内での形成をする、一部であり、その現象を満たすのも、世界の内にあるのである。世界、それしかないのだ。だから、無限に至るまでのこじ開けは、逆三角が世界内にあり、下の核の切り込みは、点を維持したまま、階層的地層図の広がりを（無意識的変化の）無限に至るまで、みせるのである。そして、図4・図4α・図15αになるのである。

このことからは、下の核が点を維持したまま階層的地層図こじ開けによっての広がりを見せる。そして、いつしか、無限に至ることから図3・図11の試みが、こじ開け最初からあるというのは、右記の展開を考えると誤りであるのである。しかし、唯一の世界と言う観点からは、世界内で起こる出来事と言う観点からは、「下の核が点にならなければ、おかしい。」と言うのは正しい。「世界の一番端が器なんですから器に点以外の穴が開いてはおかしいのです。」と言うのも、同じ観点から正しいと言えよう。

## @図4αのこじ開けと無限

「核（上）を最大に大きく広げ、世界をこじ開けます。すると世界は最も大きくなり、核（下）が点になる。状態はこうです。」上の核が無限（一瞬の無意識的変化）に至ることにより、階層的地層図の全開が、される前の、逆三角形は図4のようにこじ開けられる。そして、無限に達したことから、同時に、即に、下の核も無限に、だから、残りの無限階層的地層図の上の核と同じ三角の形状である、上の核がこじ開けられなかった、残りの三角を合わせない二つの、残りの三角を下の核がこじ開けることで、この同時、上下核こじ開けで無限階層的地層図の、完全こじ開けが、満たされるのである。全開になるのである。互いの三角こじ開けは、即に、なされる。その上下核こじ開けは、無限であり、最も、対立するものが、そう、だからこそ、図4以降の論理哲学より、同じ（状態）になることを意味するからである。上・下、対立するものが、上の核を無限にこじ開けになることにより、無限に達したことから、即に無限に、下の核が三角世界がこじ開けられる。双方の三角こじ開けが、即に、なされるのである。即に、無限にこじ開けるのだから、一瞬のうちに無限階層的地層図は三角ではなく、一度に全開になることが、行われるのである。と、無限のこじ開けから、想像する。このこじ開けが満たされる、と思いがちであるが、前記の三角こじ開けにて、全開された、そのことで、前記したように、この一度の完全こじ開けを満たすのである。この、上下の核のこじ開けで、一度の、即での完全こじ開けは、日頃認識的である、この三角上下核こじ開けにて、全開こじ開けを満たすのだ。それから、全てが無限になったことから、元の場所へ、こじ開けられた世界が、無限として復帰することになるのである。これらの行いが同時になされる。即になされる、のである。（図15a参照）

ここで、気において頂きたいのは、以下のことである。それは、上の核を無限にこじ開ける。その時、こじ開け細部双方・両方に、無限小が残されていることを、忘れてはならない。この時、まだ、核の完全無限こじ開けに、なってない瞬間なのである。しかし、無限小が残されていても、上の核のこじ開けは、無限であり、（即・永遠に）即に上の核がこじ開けるのである。その即の無限小のこじ開け時、即、同時を言い表す言い方になるが、上の核の無限小が残っているとは言え、無限であることから、下の核が、即にこじ開けられる。そう、下の核がこじ開けられることにより、さっきの、残された無限小も下の核にても、こじ開けられるのである。双方は同時に、無限小をこじ開けるのである。このことは、前段と即に行われるのである。

これは、下の核こじ開け（端の二つの三角形状による、無限小のこじ開け）と、上の核、無限に達した、即こじ開けが、同時に―即に無限小を無くすのである。今度は、（以下は、逆パターンである。下の核がこじ開けられた場合である）。上の核はこじ開けられておらず、端の二つの三角形（二つの三角を、図18の端を合わせて欲しい。上の核がこじ開けた逆三角形の対立する三角形が、出来る。これを、下の核がこじ開けるのだ）を、下の核、無限こじ開けにても、無限小が残されているが、（このとき、こじ開け細部の双方・両方の残りの無限小は、上の核のこじ開けの逆三角形の頂点にあたる）上の核が、こじ開けにて、逆三角形の頂点が、無限小を無くし、そして、下の核、即こじ開けにて、無くなるのである。上の核のこじ開け、である主体と、下の核のこじ開け、主体の別々を論じたけれども、これらのことは、三角形を形成する、上の核・下の核こじ開けにて、無限小は、こじ開けられ、上の核・下の核、それぞれの、その核自身こじ開けにても、無くなるのである。この完全無限こじ開けに向かうための、無限小こじ開けは、即であり、これらの、即（上・下核こじ開け）、両現象にて、核の無限小を無くす、ことになるのである。核の完全無限こじ開けが、満たされるのである。双方の三角こじ開けによる、無限階層的地層図の完全こじ開け、が満たされるのである。

（図18から、下の核に残されている、上の核のこじ開けによる、逆三角の頂点がこじ開けられていないのは、この段落の理由からである。図18では、上の核が、こじ開けられた不完全な図であるが、上の核をこじ開けておらず、下の核をこじ開ける、残りの二つの三角形こじ開けたものも（上の核の、こじ開けの逆三角形と対立する、一つの三角形のこじ開け）、想像して欲しい。下の核が残されている、真ん中の無限小が残されていることが、理解されると思う。その真ん中の無限小は上の核をこじ開けた時の細部双方・両方の無限小が同じあり方を一つにしたもの、である）。この無限小こじ開けで、上の核こじ開けの逆三角形、下の核こじ開けにての三角形に変化はないのである。なぜなら、核は無限無体であるからである。（無限無体ということを考えると、この段落は無視していい、ことであったかも知れない。だが、日頃認識的に考えるという「見つけました、魂を」やこの書の方法であり、語っておくべきことなのである）。

無限小は無限であり、半分に分けたとしても、同じ無限小同士である。無限小は、絶対であり、それ以上小さくなることもないのである。このことを、理解し、右の無限小こじ開けを図を利用して理解して頂きたい。

## @完全全開こじ開けと無限階層的地層図の元への復帰

図4になるまでの、だから、相対・有限からのこじ開けが、図4にて無限の領域になった。そのことは、普段である図4の即で永遠の運動が、常に行われることを意味するのである。それと同時に、相対・有限のこじ開けは、お膳立てであり、この運動から、切り捨てられる運動にある。

お膳立てを無くした図4は、それ自身の運動である、無限のこじ開け運動を、し続けるのである。図4にて、こじ開け前の世界―階層的地層図は、無限階層地層図である（こじ開けが無限だから）。その、無限階層的地層図を、即で永遠にこじ開けるのである。それは、こじ開けるのが、無限だからである。無限とは、即で永遠である。常に即で永遠に、上の核をこじ開け逆三角形を無限のものとする。逆三角形―無限階層的地層図であるから、既に無限であるのであるが、その無限を、即で永遠に無限に（最大に）こじ開けるのである。即であるため、こじ開けは、無限にこじ開けた状態。このこじ開けにて、無限階層的地層図は、こじ開けられ、無くなる。そのことと同時に、即に、こじ開けられる前の無限階層的地層図のあった所である、絶対・無限の元の場の、中心と無限階層的地層図の中心を合わせ、無限階層地層図が復帰するのである。即にて、逆三角形―無限階層的地層図が元の場に、復帰するのである。

ことは、即で行われている。即といえば、最初と最後が同等である。前段階の〝即であるため、こじ開けは無限にこじ開けられた状態〟と記したが、このこじ開けの最初の状態は、無限階層的地層図をこじ開けはじめる、ことであり、最後は、こじ開けが無限に至るこじ開けを成し遂げた、ことである。これらが、同等なのである。

このこじ開けで、〝即〟が成立する。それは、右の即のこじ開けにて、これが、(即の)〝最後〟であるが、逆三角形―無限階層的地層がその中心と元の場の中心を合わせるように、即にて、復帰するのである。無限は、絶対領域は、中心に位置するものであるのだ。であるから、最初の状態は、無限階層的地層図をこじ開けはじめる、ことであり、無限階層的地層図が、復帰したことと同じである。よって、この段の初めで述べた、ことである、〝即〟が成立するのである。即だから、何が起こったのか解らない。故に、無限―無限階層的地層図は、中心に位置したままである。この一連のことで、〝即〟が成立するのである。勿論、即、完全に、こじ開けたままである。

## @完全全開こじ開けになる、上下の核の三角こじ開け

次は、〝完全全開こじ開け〟の理由を説明したい。

〝@完全全開こじ開けと無限階層地層図の元への復帰〟では、図4でのこじ開けであった。しかし、普通のこじ開け―完全全開こじ開けは、左のようになるのである。

お膳立て、相対・有限でのこじ開けから、無意識的一瞬の変化にて、図4―無限にな

る。その無限になる瞬間、サイドの三角が、階層的地層図が残っている。その二つの三角を合わせると、図4の逆三角形の反対の三角形になる。

図4は、上の核を全開―無限へとこじ開けることである。「見つけました、魂を」での図4以降の論理哲学部の論理では、上の核（中間は、上の核に含まれている）が、無限にこじ開けられたなら、下の核も無限に即、こじ開けられるのである（無限の論理から）。上の核と下の核は、対立する無限の同じものだからである（無限の論理から）。下の核も（中間は、下の核に含まれる）。上の核も下の核も、こじ開けてから、（　）の状態になるのである。

（　）の状態とは、上の核こじ開けにて、上の核が最大・下の核が最小になり、下の核こじ開けにて、下の核が最大・上の核が最小になる。それぞれで、対立するものが、同一であり、対立したまま、である。ことを言いたかったが、ここでは、上の核こじ開け時の最大・最小の関係と下の核こじ開け時の最大・最小の関係の双方が、対立しているのである。そのことは、上の核のこじ開けにて、下の核こじ開けにて、その、双方の最大・最小の関係が、双方のこじ開け三角形―逆三角形と三角形が、対立するが、同一であり、対立したままである。そして、こじ開けられた（核を含む）無限世界―無限階層的地層図が復帰、即するのであり、上の核と下の核は、そのままで、対立するが、同一であり、対立したままである。ということを満たすことを、言いたい。そう、上下の核を、無限に、こじ開けているから、即、復帰するのであり、上下の核の無限の論理になるのである。というか、ことを正せば、こじ開けと無限は、はじまりもなく、終わりもなく、成立している。相対・有限のこじ開けからの、お膳立ては、これを導くために、使用されたに過ぎない。こじ開けと無限が成立している、上の核・下の核は、そのままで、無限の論理を満たすのである。上の核と下の核は、対立するが、同一であり、対立したままである、と。それは、無限のこじ開けがあっての、無限階層的地層図―無限世界が、即、復帰する、そのままの、上の核と下の核の同一であり、対立したままであるのだ。（図15 *a* 参照）。勿論、始め、この段で述べてある、双方のこじ開けで、成立する最大・最小も最小・最大も、無限の論理にそれぞれ、なるのである。なっているのである。―最大・最小の対立するものが、同一であり、対立したまま。最小・最大の対立するものが、同一であり、対立したまま。双方の無限の論理は、図として互いに、対立しているのである。（無限の論理とは、〝対立するものが、同一であり、対立したまま〟のことを言う（＊無限の論理について、この項目のことを、それなりに論述している。〝＠幾重にもなる無限の論理〟の図５ *a* をお読みになると解りやすいかもしれない。図15 *a* も論述してある。））。

その下の核を、無限だから、上の核のように無限にこじ開けられる。そうすると、サイドの合わせた三角がこじ開けられる。それは、分けると、右に言った、サイドの三角なのである。それが、上の核を無限にこじ開けると同時に、即に、下の核もこじ開けられる訳である。そう、二つの三角が、こじ開けられるのである。（というか、下の核の二つの三角は、図４の図のこじ開けた両端を結ぶと、上の核のこじ開けと反対の三角形（一つの）

が出来ているのである。よって、二つの三角がこじ開けられる訳である）。

よって、三角による、世界の完全全開こじ開けが、完成する訳である。気に留めることは、こじ開け（上の核）が、〝無限〟にならないと、下の核も上の核と同じには、ならないということである。―論理哲学部の論理、だから、図４以降の論理哲学である、無限の論理で、上の核と下の核は、同一であり、対立したままである。

## @ここで、無限にこじ開けるまでの階層的地層図

図３・図11にて無限階層的地層図を拵えたが、こじ開けることによる、無限にこじ開けに至った時の、無限に対してのことであるのだ。このことは、日頃認識領域―相対・有限のこじ開けから、徐々に無限に向けられることなのであり、最初から、無限化しても意味がなく、図３・図11は誤りな、試みなのである。無限の階層的地層図を、こじ開けの最初から、こじ開ける対象とするのは、誤りなのであるのだ。私たちは、無限の階層的地層図をこじ開けて、こじ開けが無限に至る、のではなく、日頃認識領域―相対・有限を、だから、図2をこじ開けて行くのである。そうというのも、こじ開けは、序盤、無限階層的地層図ではない。ある時から、常に下の核（器）が点に成ってこじ開けられている、有限なものだったのである。どんどん大きくこじ開けられ、それに連れて階層的地層図も、大きくなる。そう、し続け、終いには、一瞬の無意識的変化を遂げ、こじ開けの目的である、こじ開けが無限に至るのだ。そのことは、階層的地層図の、無限をもたらすことになるの

である。こじ開けられることにより、階層的地層図も下の核が点の状態で、無限に至る。そのことにより、前項目〝図４$a$のこじ開けと無限〟の同時変化（上の核・下の核の同時こじ開け）を—即を成立させるのである（図13と図４$a$を参照）。

## @図３・図11の試みは誤りである

図３・図11の試みは誤りである、と論じたが、実は、そうではないのである。と言うのは、これまで述べた、図２の相対・有限のこじ開けから、無限に至るまでの経過を記してきたが、こじ開けが無限に成り、無限の階層的地層図が復帰すること、魂の出現は、無限—即で永遠であることから、こじ開けは、即になされる。そして、永遠に（初めもなく、終わりもない）なることから、図３・図11の縦の無限の階層的地層図が、必要になり、図４$a$・図15$a$を導き出すのである。

こじ開けが即、永遠になされることは、図２ではなく、図３・図11が常に採用されることであり、やはり、必要な試みであったのである。が、しかし、これは、図３・図11が、図２のこじ開けから図２が無限に至る—図４$a$になることを考えると、図13のこじ開けてない、最終形態である、と言える。その観点から、図４$a$も図13のこじ開けてできる、最終形態である、と言えよう。そうすると、無限に達したことにより、初めの下り—こじ開けが、即の永遠になるまでの、図２のこじ開け過程は、不必要になり、図３・図11が必要とされ、即の図４$a$が必要になる訳である。その観点から、図３・図11は、誤りではなかったのである。無限に至ったこじ開けは、無限であり、即で永遠になされる。だから、図13から図4 $a$ に成ってからは、無限になる前の図2・図13が、永遠の行い故、不必要―切り捨てられるのである。それを、次の段にて、語る。

## @図2こじ開けによる、その使命

図2・図13の徐々に、こじ開けられる、無限への試みは、こじ開けの世界一般化に至る、お膳立てだったのだ。こじ開けが無限になることにより、それは、世界の基本的運動になり、お膳立ての図2・図13の徐々にこじ開け、広げられる階層的地層図は、この無限状態での運動に成ってしまえば、もう、いらないものになるのである。なぜなら、無限―即・永遠になされるこじ開けであり、お膳立て以前から無限―即・永遠になされているのであり、もはや、図2のこじ開けは関係なくなるのである。

## @「図3・図11について」に戻る

と言うか、図2のこじ開けによる、階層的地層図の変化は、唯一の世界と力学と言う観点から、無限に至るまでもたらされた、図の形態であり、図3・図11や図4 $a$ は必要なかった。いや、無限のこじ開けが目的であったため、図4 $a$ はその後の語りのために必要な図であり、図に番号を付ける必要があったのである。そして、図2の縦の最終形態である、図3・図11もその有限の無限への変化、という点から、図に番号がこれまた、必要だった訳である。が、図3では、図3の試みの最終図が表れておらず、図4・図4αにて図3の試みの結果が表わされている。確かに、図3は少々、強引な試みの序盤が描かれている。

図13のこじ開けが、無限になってからの、図4・図4αを考えると、図3・図11は、やはり、不必要と言ってもよいものである。図2・図13からの目的のこじ開け図4αとで図が間に合うのである。そうすると、図3・図11は、不必要となるのである。図3の展開終了形は、図11であり、図4・図4αを導くための図であったに過ぎない、とも言える。図3や図11は、敢えて言えば、図2に対する図1、または、図4・図4αに対する図13みたいな図であろうか。

図3・図11のようにしなくとも、前文で書いた、図2の宇宙層のまたは、それぞれの間にも、無限に階層していいのである。そのようにこの書で述べてあるし、図3の最終図は図4αのこじ開けを無くすと、上の核と核を外した無限階層的地層図と下の核にて、図11のように、表せるのである。そして、図2をこじ開けることにより、可能になる図であり(必要な図は)、無限のこじ開けのない無限階層的地層図など、必要ない、と言える。こじ開けのある、無限階層図である、図4・図4αがある故、図3・図11は不必要、としていいものである。

## @図4から図5・図5αになること

図4は、上の核の無限こじ開けによる、無限階層的地層図が復帰した図である。無限になった逆三角形は、無限であり、限りのない、形を要する。もし、形と言うものがあれば、図4での無限の形は逆三角形である。図1からの、図2から図4まで続く、不完全な階層的地層図—世界ではなく無限こじ開け・完全全開の階層的地層図で、立体的なこじ開けのみの、図を考えたい。図14を見て頂きたい。無限に形があるなら、あらゆる形をする。こじ開けられた双方の三角は、円へと無限的発展をし、図5αを導く。そして、立体—円を球にするのである。これが、無限をイメージする図15αの不完全な図を克服する図5・図5αなのである。そして、これだけでは決めて—後押しが足りないであろう。そこで、登場するのが図4以降の論理哲学である。この論理哲学の論理だけでも、図5α・図9・図19を導き出すのであるが、この論理だけではなく、図4・図15αからもそれなりの、図5・図5αを導くことを言いたいがために、それと、図4・図15αから、図5・図5αを更に繋がりやすくするため、右記した。で、後押しをする論理とは、「所在は、世界の中心です。互いは中心でありながら最も外輪で、最も外輪でありながら中心であるのです。」である。「　」の論理は、「世界の中心です」の論理展開であり、図4以降の論理展開にて生まれたものである。その後、球体をこじ開けるものであるから、階層的地層図—世界、だから、世界をこじ開けるのであり、階層的地層図が、こじ開ける球体に必要であることを、必然であると理解してあるのである。無限であり、図5・図5αも無

限階層的地層図の〝核・人間層・地球層・宇宙層〟が消え、囲いもなくなるのであるが、こじ開ける、世界は、階層的地層図で表わされているということ、「　」での論理を満たすことを理解するために図5・図5α・図9・図19には、〝核・人間層・地球層・宇宙層〟が、それぞれの名称で、中心と―最も内と最も外（核・人間・地球・宇宙の、それぞれで、中心と最も外輪に分けること）に分けられた球体になっている。それは、階層的地層図を満たす、分け方になっているのである。この「　」の論理が球体であることの、無限階層的地層図のあり方を示しているのだ。これらにて、図5・図15α・図9・図19は成立する。

図4以降の論理哲学以外から、だから、101頁に記載してある、図4ではなく、図15α以降の論理哲学（後、図15α以降の論理哲学と略す）から、球体に無限階層的地層図―無限世界を、持ち込んでいる感がある。いや、実際に、そのような形で、論を展開している。だが、図4・図15α以降の論理哲学では、こじ開けによる無限階層的地層図―無限世界を扱い論理展開している。図4は図15αに移行するものであり、図15αにては、こじ開けが、無限階層的地層図の完全全開である。よって、図4以降の論理哲学にて無限階層的地層図―無限世界が球体に反映展開されることは、必然のことであるのだ。図4以降の論理哲学にて、図15α以降の論理哲学にて、図5・図5α・図9・図19が成立するのは、当然なのである。なぜなら、無限世界―無限階層的地層図のあり方を、論理哲学をしているのだから。無限階層的地層図―無限世界のあり方を展開されるものなのである。

図5・図5α・図9・図19が球体の透けた図になっているのは、一つになる運動を導きやすくするためである。図5αでは、〝それぞれの核が、上の核であり下の核である、下の核であり上の核である〟となっているが、それに対し、〝それぞれの核が、中心であり最も外輪である、最も外輪であり中心である〟ということは、―〝最も内輪であり最も外輪である、最も外輪であり最も内輪である〟これらに、置き換えれば、考え易い。（図19参照）図19も図5αも、同じ対立した図の同じ形式になるのである。図5αは、図19に移行する図である。図4以降の、図15α以降の論理哲学が導いた形式になるのである。

## @哲学の〝方法〟とは

これは、「見つけました、魂を」を創り出した後に自分で気付いたことである。哲学における〝方法〟とは、哲学者が自分の哲学を生みだした後に、その方法に気付くものなのである。気付くならば。哲学における〝方法〟とは、哲学をはじめる時の意識的思考法ではない。「見つけました、魂を」を創造した後に、そのように、私は思うのである。

## @図5と球体図

図4から直接、図5の球体へと立体表現される。いや、やはり、図4以降の論理哲学が、必要になる。というか、図4以降の論理哲学のみで立体表現される。その球体は、図5・図5α（図4・図15αのように、無限にこじ開けられ、この書において、補足してい

るように、同時に下の核が、無限にこじ開けられ、無限の階層的地層図の完全こじ開けになる。そして、同時に―即に元の場に無限の階層的地層図の、復帰をするのである。図4・図15αから解るように、無限への復帰であるが、球体化したもの、（図15α・図5α参照）なのであり、それと同時に、こじ開ける前の内部―無限階層的地層図が透けて見えている球体の世界図を意味している。図4・図15αで世界をこじ開けたように、図5・図5αでも世界をこじ開ける。無限世界になる前の有限世界が、図2から図4・図4α・図5αに移行する、こじ開ける初めの段階である様に、図5・図5αでもあり、こじ開けた結果、いや、図5・図5αでは、無いのである。なぜなら、図4・図4α・図15αから図4・図15α以降の論理哲学にて導かれたものであるから。無限こじ開け―即の永遠でのこじ開けが、なされるのである。図5・図5α・図9・図19では、お膳立てはないのだ。だから、図5・図5α・図9・図19は（図4・図15αもであるが）、即の永遠にこじ開けられる。始めから、無限の世界であり、その世界を即の永遠のこじ開けで、無限の世界が再び、表出するのである。図4・図15αと同じ様に元の場に、再び無限世界が、だから、図5・図5αで理解すれば、図4・図15αの無限世界の復帰が、球体として再び無限世界になるのである。完全にこじ開けた結果、図5・図5α・図9・図19で、無限の階層的地層世界の球体が出現した！　そしてそれは、最も外輪と中心は、図4・図15αで言うならば、最も外輪と内部は、〝上の核であり下の核である、中心核は、下の核であり上の核である（図5α参照（無限の論理という観点からは、形式として同じになるのである））〟のである。図4・図15αの全階層的地層世界も全開にすることであり、そして、図4・図15αでは、無限階層的地層図は、こじ開けが無限にこじ開けたと同時に、出現するのである。図5・図5αでの、こじ開けは無限の球体のこじ開けであり、完全こじ開けである。無限（最も大きく、こじ開ける、という意味の）に達したことにより、また、無限の球体が復帰する訳である。

このこじ開けは、即に永遠運動する、こじ開けをするのである。即こじ開けている結果、こじ開け始めと同じ結果になるのである。そう、無限であり続け、だから、即復帰するのである。即だから、無限は、そのもの、のままであるのである。この図5・図5α・図9・図19の完全こじ開けによって二つの世界球体が生まれるのではない。互いは、同じ一つの世界であり、一つの球体である。こじ開けられた二つの三角—球体は、絶対・無限であり、互いに何の接点もないのだが、対立する無限であり、無限の真の論理から、一つの同じで対立したまま、の無限になるのである。そのことは、一つの球体になることなのだ。一つの球体で対立したものなのである。その意味を更に付け加えるなら、それは、外輪核と中心核や人間層・地球層・宇宙層など、各々で最も外輪が最も内輪で最も内輪が最も外輪である（図19参照）、ことを満たした球体なのである。図19ではなく、図5αで説明するなら、〝逆三角形から導いた球体と、三角形から導いた球体〟を同時に表現している球体を意味し、その球体のこじ開け—対立した二つの三角こじ開けを満たす、世界は一つなのである。これらのことが、無限を意味し、無限の世界を言い当てている。その無限の、真の論理である。日頃認識論理・相対・有限論理では、対立するが、そして、同じにならないが、無限で絶対領域の論理では、互いは論理上、対立することで、無限の論理が丸くいくのであるのだ。というか、日頃認識領域では対立するものが、無限・絶対領域では対立していることが無限の論理上、丸く収まることの絶対領域の無限の真の論理になるのである。これは、無限の真の論理〝対立しているものが、同一であり、対立したまま〟なのである。

## @魂だ

唯一・無限の球体―世界を表している球体なのである（図4・図15αからすると図4・図15αを全開にした、そして、階層的地層図が無限で復帰した、それを表した球体である）。そのことを論理的に満たしているのが、図4以降の論理哲学から（この書では、図15α以降の論理哲学から）理解される、〝無限〟の無限の球体を表す、世界のありようである。―対立するものが同じであり、対立したまま、世界をこじ開けた結果、復帰する球体世界である。このことにより、と言おうか、このことから、と言おうか、前述と同様、図4の世界のこじ開けが三角になるのであるが残されたこじ開けられてない三角も〝同時〟にこじ開けられ、世界を全開にこじ開け、元の場に、無限での復帰をする。図5・図5α・図9・図19では、唯一の無限で絶対の球体が、即、復帰し、発見される訳である。それは、私があるとき探していた、と言おうか、意識していないが、常に探していた、探している、実は〝魂〟なのである。無限・絶対なものが、この無限へと復帰した球体が、それが、魂なのである。—魂だ！

## @現実は、お膳立てはいらない

魂を見つけることは、だから、こじ開けは、相対・有限をこじ開け、図4・図15αになり、無限世界を復帰させる。これは、図4・図15αになるまでは、お膳立てで、ことの真相は、こじ開けが、即で永遠になった、無限世界へのこじ開けが、なされるのである。そう、その、即で永遠こじ開け段階から、この図4・図15α・図5・図5α・図9・図19の世界はあるのである。図5・図5α・図9・図19は、相対・有限のこじ開けはなく、（図2・図13から展開されているが、それはお膳立てであり）始めから無限のこじ開けなのである。

## @図4以降の論理哲学

「こうなります。図4の核のこじ開けた広さ、世界の広さ、そして点（下の核）の小ささは無限です。この書で私は、無限のことを日頃認識で理解しようとしています。なぜなら、人間はこうでしか理解できないのだからです。無限について話してみましょう。前記の核（上）を最大に広げたこと、無限の世界のこと、核（下）の最も小さいこと、これらは日頃認識する領域を超えてしまいます。解らなくなるのです。想像して下さい。世界で一番大きいもの―考えると「解らなく」なりますね。前記の世界とこじ開けた核のことです。想像して下さい。世界で一番小さいものを。顕微鏡で見ればまだまだ、最小ではありません。やはり、最小ということで「解らなく」なりますね。「解らない」と「解らない」ということで、これらは一つになる。なぜなら、「解らない」と「解らない」で同じ、というものだからです。そして、解らないということで、日頃認識領域から消えている。最小が最大で、最大が最小になり、日頃認識領域から消えているからです。これは、日頃認識領域ではないことですね。所在は、世界の中心です。互いは中心でありながら最も外輪で、最も外輪でありながら中心であるのです。その説明図は、図5です。これは、世界をこじ開けてできる、球体の図です。核は器ですから、一番端にありますよね。」

## @ここで前抜粋した論理哲学を考えてみよう

左から。

## @「こじ開けた広さ」について

「こうなります。図4の核のこじ開けた広さ、世界の広さ、そして点（下の核）の小ささは無限です。この書で私は、無限のことを日頃認識で理解しようとしています。なぜなら、人間はこうでしか理解できないのだからです。」は「こうなります。」は図4のことが成立した、最大のこじ開けが、無限へとこじ開けられた、という意味であり、図4のことを指している。解ると思う。「図4の核のこじ開けた広さ、世界の広さ、そして点（下の核）の小ささは無限です。」は、図4の上の核を〝最大にこじ開ける〟であるから、こじ開けは（最初は）限りのあることであり、大きさがまだまだ他にもあることを意味し、不完全でこじ開けが最大とは言えない。限りがあるかぎり、最大―絶対の最大にはならないのである。であるからにして、無限へ（限りがない）と至るまでこじ開けるのである。無限に上の核がこじ開けられたことであり、このこじ開けが、それぞれ図4の全てにおいて、無限であることなのだ。

## @「世界の広さ」について

「世界の広さ」は、階層的地層図をこじ開け始めは、有限の逆三角形である。こじ開ける度に下の核が下へと逆三角形成をしながらが、無限のこじ開けになる―最大のこじ開けになるのである。無限のこじ開けは、全ての階層的地層図を、こじ開けることをイメージするが、即の出来事であるのだが、有限のこじ開けが、無限に達したと同時に、前にも述べた、即、下の核もこじ開けられ、三角こじ開けが、無限世界―無限階層的地層図の、全開を満たすのである。上下の核の三角こじ開けで、完全こじ開けが満たされる訳である。このような現象により、世界の完全こじ開けがなされ、また、同時に、無限にてこじ開けた場に、無限階層的地層図―無限世界が、復帰することになるのである。その無限へと元―世界の場に復帰した広さは、無限、である（図15a参照）。―下の核もこじ開けた展開になっているが、「見つけました、魂を」では、上の核をこじ開けたのみである。

## @「点」について

今度は「点」であるが、「点」は、最小のものという意味であり、それは、「見つけました、魂を」では、下の核が、核の内部が漏れ出ないようにこじ開けられた―は、〝「見つけました、魂を」を再び考えて〟の見解ではないものだ。今回の見解は、相対・有限状態のこじ開けから、ある時、下の核に逆三角形の相対・有限状態の点が満たされ、上の核のこじ開けが増すにつれて、階層的地層図が大きくなる。下の核が下がって、階層的地層図が広くなって行く訳である（図13参照）。上の核が無限に至ったとき、逆三角形の頂点、下の核は真の点になる。これが、ここで言う点なのだ。

そのこじ開けられている相対・有限が、無限へと至ることとは、逆三角形の形状が、世界内で行われていることである。と言うよりも、唯一の世界故に、力学的逆三角形は全て、だから、相対・有限の力学的逆三角形が無限に至るまでのこと―逆三角形が、階層的地層図の中で満たし続けられ、そして、ある時、無意識的瞬間を経て、無限になるのだ。そして、階層的地層図は、世界であり、それは無限における図4$a$にでの全開である、上の核・下の核の同時こじ開けによる、三角のこじ開けに成っている訳である。このこじ開けにて、無限階層的地層図の完全こじ開けが、満たされる訳である。そして、こじ開けられた全開は、同時に元の場に復帰するのである。これらの、無限こじ開け、階層的地層図の無限での復帰、が同時になされるのである（図15α参照）。

上の核のこじ開けが、世界―階層的地層図が、無限になった。三角の頂点は、こじ開けが無限に至ることで、真の点になる。真の点とは絶対領域に至ったこと、無限を意味する。図4自体、世界―階層的地層図が、無限であることから、三角の頂点も無限であるはずである。一部だけ有限という事態は、あり得ない。と理解する。相対・有限状態の三角こじ開けで無限に至る訳であるが、上下の核の三角こじ開けがなされる訳である。無限に核をこじ開けたなら、三角の高さは無限なのである。その高さの核への切り込みは点であり、相対領域から絶対領域に達したことであり、そのことは無限に達したことを意味する。それは、無限小なのである。上の核が無限に至ったことは、図4で、下の核が真の点―無限になっているのである（図4α参照）。

―〝@「世界の広さ」について〟と同様の展開になっている。下の核には両端の二つの頂点が満たされている。これは、図4・図15αの両端の二つの三角を合わせた一つの三角形（上の核のこじ開けた逆三角形に対立する）の頂点が無限で満たされた頂点、無限小になっているのである。

## @図4ではなく、図15α以降の論理哲学

こうなります。図15αの完全全開―上下の核こじ開けの広さ、その世界の広さ、そして、上下の核の点の小ささは無限である。この項目で私は、図4のこじ開けの逆三角形の

世界の広さではなく、世界―無限階層的地層図の完全全開こじ開けを論ずる。そして、図4でも言っているように、無限のことを日頃認識で理解しようとしている。なぜなら、こうすることが、人間には解りやすいからである。この図15 $a$ での無限について話してみよう。上の核を無限にこじ開けたこと、下の核がそのことにより（無限にこじ開けたことにより）、上の核が無限にこじ開けられたと同時に、即、下の核が残りの二つの三角をこじ開ける。なぜなら、上下の核は、無限で対立しており、同一であり、対立したまま、なのである。だから、上の核が無限に達しこじ開けたなら、下の核も即、こじ開けられるのである。無限の論理―無限こじ開けにおいて、対立するものが、同一であり、対立したまま、であるのであるから、上の核は、上の核であり下の核である。下の核は、下の核であり上の核である、のだ。対立したまま、同一なのである。上下の核を無限にこじ開けること、その上下の核の完全全開の世界は、無限である。そのこと、こじ開けてできている、逆三角形と対立する三角形になる。下の核は、これをこじ開けているのである。だから、下の核のこじ開けは、図での端の二つの三角になるのである。―の頂点は、上下の核にて最も小さいこと、これは、日頃認識する領域でないのである。他の領域にあるのである（しかし、この他の領域も、日頃認識―相対・有限領域と、同一であり、対立したまま、なのであるが）。だから、論理上でも解らなくなるのである。想像してみて下さい。世界で一番大きいもの―終いには、「解らなく」なって、諦めず、追い求めた結果、以下のことを、得るのである。それは、私が小学生の頃。今思えば、無限であろう、と思う体感であり、（そして、更に、今思えば、無限の論理と思う体感である）、初めての感覚である、よく内容が「解らない」体感（と昔のことを、今、理解する）なのである。前記の世界とこじ開けた核のことである。想像して下さい。世界で一番小さいものを。顕微鏡などを用いても、最小には辿り着かないのである。しかし、最終的には、思い巡らし、ある無意識的変化を遂げ、最大のところで論じた、今思えば、無限的体感であり、（そして、更に、今思えば、無限の論理と思う体感であり）、「解らない」でいる。そのことは、必ず、〝ある〟、と突き詰めた結果、辿り着いた体感なのである。「あ、この体感、最大の時と同じ感覚だ。」と無限であろう、理解できないが「解らない」が、同じ体感だったのである。これで、世界で一番大きなものと、世界で一番小さなものが、同じであると私は驚くのである。そのものの内容は、理解できないが、「解らない」が、〝同じ〟理解できない感覚であり、それは、内容が「解らない」理解できない同じ体感と「解らない」理解できない同じ体感で結び付く。同じもの、なのだ。これらは、一つになる。なぜなら、内容が理解できない〝同じ〟体感であるからである。これらは、同じ、内容が「解らない」感覚と内容が「解らない」感覚の、同じ体感であるのだ。言うまでもないが、対立したまま、である。そして、理解できない、ということで、日頃認識領域から消えている。互いは同じものであり、最小が最大で、最大が最小になる。対立したまま、最大は、その体感の最大で、最小は、その体感の最小のまま、である。そのことが、日頃認識領域から消えているのである。これは、日頃認識領域ではないことである。この、体感から導き出した、無限の論理

─無限での、対立するものが、同一であり、対立したまま、であることを、図15αで理解すれば、上の核をこじ開けた、逆三角形は、その最大と最小が、無限の論理になる。が、逆三角形と三角形であり、最大と最小の関係も、対立する。それ故に、逆三角形と三角形（の最大・最小の関係）も、無限の論理─無限で、対立するものが、同一であり、対立したまま、になるのである。無限の論理の二重の展開なのだ。これを、球体で言うと、図5αでの、無限の論理の二重の展開である。このことに関しては、この論理哲学を、終わり次第、記すことにしたい。で、日頃認識領域で解らなくなるものは、所在が、世界の中心である。互いは中心でありながら最も外輪で、最も外輪でありながら中心である、のである。その理解図は図19である。これは、図5ではない、図5は、不完全な図になっているのだ。核は器だから、一番端にあるのである。中心は、中心であり最も外輪で、外輪は、最も外輪であり中心なのである。このことは、この核だけでなく、内部の核抜きの無限階層的地層図に当てはまる。中心に近い、人間層・地球層・宇宙層は、それぞれ、中心核であり最も外輪である。外輪は、人間層・地球層・宇宙層が、それぞれ、最も外輪であり中心であるのだ。これは、世界─無限階層的地層図をこじ開け、復帰した、内部が透けて見える、球体の図である。中心を内、最も外輪を外、と置き換え理解してもいい。同じことなのである。同じ意味であり、だから、図19なのだ。

## @幾重にもなる無限の論理

図5α・図19・図9は、幾重もの無限の論理になっている。

### !図5αを考えてみよう。

まず、図5αからみてみよう。図5αは、図15αに関係するのであり、(図15αを球体化したもの図5αであるし(というか、図9・図19・図7α・図8αの全てが関係しているが))、図15αでは、上の核の最大と下の核の最小の、対立するものが、同一であり、対立したまま、である(無限の論理)。そして、下の核の最大と上の核の最小の、対立したものが、同一であり、対立したまま、である(無限の論理)。この双方の無限の論理が、図15αにてあるように、逆三角形と三角形が、対立しているのである。これも、無限の論理で、対立するものが、同一であり、対立したまま、であるのである。

要するに、二重の無限の論理なのである。図5αを詳しく見ると、二重もの対立した―無限の論理が、外輪と球体内部の階層的地層は、上の核であり下の核である。中心核は、下の核であり上の核である。このように、球体自身で対立しているのである。これは、この対立が、無限の論理である、対立したものが、同一であり、対立したまま、であるのだ。球体自身の対立で、外核と球体内部の無限階層的地層は、上の核と下の核が対立している、そして、中心核が下の核と上の核で対立している。故に、無限の論理が成り立つ。これは、図15αで説明した、逆三角形と三角形の対立である。図5αでは同形の三角形にして、最大・最小は、同じ配置になるが、上下の核が対立している。そして、図15$a$では、上の核の最大と下の核の最小の対立、そして、下の核の最大と上の核の最小の対立を、図5$a$では、中心核への同一、外核への同一と、それぞれが、一度にやっているのだ。表すと、中心核への同一である、下の核・上の核と上の核・下の核の同一、は同一になっているのであり、対立したまま、であるのであるから、対立したまま、とは、中心核は下の核・上の核のまま、であり、外核と球体内部は上の核・下の核のまま、である。外核と球体内部への同一である、上の核・下の核と下の核・上の核の同一は、外核と球体内部に、上の核・下の核のまま、中心核に下の核・上の核のまま、である。（ここでは、球体図もあるし、外核と球体内部を、外核と一つにせずに、表してみた）。

**！次は、図19を考えてみよう。**

「互いは中心でありながら最も外輪で、最も外輪でありながら中心であるのです」のことを、反映しているものであり、中心と最も外輪を、内と外に置き換えて理解したいと思う。

球体での、中心核と内層が内で外核と外層が外である。中心核と内層が外で外核と外層が内である。互いは、対立するものが、同一であり、対立したまま、である。（同一で、対立したままの）、図19のままの図だ。そして、球体であるから、外核と外層が外・内で、中心核と内層が内と外である。球体が対立しているのである。その対立する球体は、同一であり（外核と外層は外と内が、中心核と内層が内と外が）、対立したまま（外核と外層が外と内のままであり、中心核と内層が内と外のままである）、なのである。図19のままなのだ。それと、この段の始めの〝球体での、……互いは、対立するものが、同一であり、対立したまま、である〟を中心核と外核同一にそれぞれなることで、一度にやっているのである。中心核（と一つになる内層）への同一は、内・外と外・内の同一であり、外核が外・内のまま。中心核が内と外のまま。である。外核（と一つになる外層）への同一は、外・内と内・外の同一であり、外核が、外・内のまま。中心核が内・外のまま。である。これも、図19と同じになる。

## ！最後に図9を考えたい。

図9は、核以外の球体内部の階層的地層が消えた、図である。

であるからに、図9は、外核が最大・最小であり、中心核が最小・最大である。外核が、最大である時、中心核は最小である。外核が、最小の時、中心核は最大である。この対立するものは、同一であり、対立したまま、である。（ここでの、球体内部は中心核を除くは、目的である、同一になるものと、同じ最大・最小の形式になる。それぞれで、異なるものになるのである）。

球体であり、外核が、最大・最小で、中心核が最小・最大である。（この時、球体内部は中心核を除くは、どちらかに最大・最小の形式をしている）。そして、外核への同一の時、外核と同じ、球体内部は最大・最小であり、中心核へと同一の時は、中心核と同じ、球体内部は最小・最大である。対立する球体なのである。であるからに、その対立するものは、同一であり（外核の最大・最小が、（球体内部は同一へ向かう側の最大・最小の対立形式をとる）、中心核の最小・最大が）、対立したまま（外核が最大・最小のままであり、（球体内部は同一される側の最大・最小の形式になる、そのまま）、中心核が最小・最大のままである）なのである。それから、中心核への同一は、外核が最大・最小であり、球体内部が中心核と同じ最小・最大になり、外核の核は球体内の、対立するものを同一にして行き、目的である、同じように対立した、中心核と同一になる。最小・最大と最大・最小の同一であり、中心核（と球体内部）は最小・最大のまま、外核は最大・最小のまま。外核への同一は、中心核は最小・最大であり、球体内部は外核と同じ最大・最小であり、中心核の核は球体内の、対立したものと同じになって行き、目的である、同じように対立した、外核に同一になる。最大・最小と最小・最大の同一であり、中心核は最小・最大のままであり、外核（と球体内部）は最大・最小のままである。この段落の始めの方で、〝外核が、最大である時、……この対立するものは、同一であり、対立したまま、である〟はこれらの同一で満たされるものである。

## @相対・無限と絶対・無限

その真の点が、無限であるが、相対・有限状態のように、囲い―限りがあると、次の小さいものが、またさらに小さいのが……とキリがない。これは、相対・有限領域が無限に陥ったときの、現象であり、だから、囲いの付いた円のその時の小さい円（囲い）を拡大して、まだ、その囲いの中に小さい円（囲い）が出来る。そして、円（囲い）を想像出来なくなると、また、その小さい円（囲い）を拡大する。そして、同じこと―円（囲い）の中にまだまだ、小さいものが幾つも出来る。囲いの付いた、相対・有限領域のこれは、無限状態である。相対・有限領域には、相対・無限が蝕まれているのだ。この状態ではキリがない。無限である、と。しかし前段落の無限は、相対・有限領域の無限ではなく、そのことは、絶対・無限の〝囲いのない〟無限であり、絶対領域の無限なのである。絶対・無限を少し記したが、以上は、相対・有限での最小を求める〝無限〟の現象である。真の点は、絶対領域に達した点であり、前段落の無限は、絶対領域なのだ。それは、絶対領域の、無限―絶対領域の、無限小でなければならない。これより、小さいものはない、と。

## @無意識的方法

「この書で私は、無限のことを日頃認識で理解しようとしています。なぜなら、人間はこうでしか理解できないのだからです。」は、「見つけました、魂を」でもこの書でもそうだが、無限のことを日頃認識にて理解しようと試みている。それは、「見つけました、魂を」とこの書での私の、神秘体験・思索・遊戯のことを満たすために試みた、無意識的―前意識的な、哲学方法である。日頃見えるものを通してでしか、見えないものを〝論理・論述・図〟という論で、言い表すことができない、（おそらく、無意識に）と私が考えているからである。だが（相対・有限の論理で）、見えないものを直接、論じることはできない。だから、見えるものを、日頃認識を、通して論じることをしながら、見えないものを間接（相対・有限の論理では理解できない論理）にして、見えないものを見えないなりにその、真たるものを理解してもらえたらと、試みているのである。自分にも他者にも。正直なところ、それを、意識していないが。（理解できない論理であるから――見えない――消えているのだが）

## @私の我がままと方法の気付き

以上の私の哲学の方法は「見つけました、魂を」を創り上げ、ある期間後そして、この書を創り上げている時再認識した哲学の方法である。しかし、へそ曲がりな私としては、この哲学方法ではなく、私の哲学はまだまだ、他にも方法があり（この時の〝方法〟という言葉が嫌いである）、それを試みたい（この時の、この〝試みたい〟という言葉も嫌いである）。定義付けられたことなど、嫌いである。哲学方法とか、どうでもいいのである。哲学方法とは、おそらく、哲学した後に気付かされ与えられるものだからである。と、この書の、ここでの、論ずることではない的なところに成りつつ、成っているようなので、論を戻す。

## @一番大きなものを想像して

次の図4以降の、図15α以降の論理哲学ではこう述べている。「無限について話してみましよう。前記の核（上）を最大に広げたこと、無限の世界のこと、核（下）の最も小さいこと、これらは日頃認識する領域を超えてしまいます。」では、この文章だけでは、論がハッキリしないであろう。後の論理を待たねばならない。「解らなくなるのです。想像して下さい。世界で一番大きいもの—考えると「解らなく」なりますね。前記の世界とこじ開けた核のことです。想像して下さい。世界で一番小さいものを。顕微鏡で見ればまだまだ、最小ではありません。やはり、最小ということで「解らなく」なりますね。」と論ずるが、「解らなくなるのです。」が論を指摘している。私はこう切り出します。「想像して下さい。」と、これは、私が小学生の時に風呂場の浴槽で宇宙の星の大きさが太陽よりも大きなものが実在する、と風呂に入る前に、図鑑の宇宙についてのものを見たとき知り思い、風呂場の浴槽で思い浮かべ、地球よりデカイ太陽が豆粒のようになるデカイ星を想像する。そして、それよりもデカイ星を想像し続ける。だから、想像の限界になり、思考—想像が、満腹状態になる。それを、そのデカイ星を紙に縮小し、それは、太陽・地球・人間なども、同じ対比で小さくなることだが、太陽・地球・人間、それらは、消えてしまうか、点みたいな実在になる。

そのデカイ星に比べると、小さくなる。そうすると、その太陽より、遥かに、デカイ星よりデカイ星が広い宇宙では実在するかも……と考え（想像する余裕が出来）、そうなると、その縮小によって、地球は、見えなくなるし、縮小されたその時、限界だった大きな星より、まだ、デカイ星が、この宇宙にはある！　想像をめぐらし、また、想像の限界まで大きい星を想像し続ける。想像は飽和状態になる。そこで、縮小した星を、それらの人間なら人間の、と同じ大きさの、それぞれを原寸大に戻すのである。想像したものを、原寸大に戻すのである。そうすると、縮小を通して想像で得られた、一番大きな星は、想像も付かない、囲いを無くしたものになり、想像上で無限なものになる。想像の限界であり、もう、囲え得ないのだ。これが、一番大きなものであり、この後の、一番大きなものの想像は、停止する。（この時、序盤では、星の円の内部は気にせずに、円（囲い）を想像していた。）

以上の結論は、相対・有限領域を想像してみると、終いには無限に至り、そして、そのことを、思い巡らし、絶対領域に達したことを意味する。そう、相対・有限領域から、前文の行為の後のことであるが（と思われる）、ある無意識的変化から、最終的には、絶対・無限領域へ想像をめぐらせたのだ。その行為は、最終的に、原寸大に戻すことで、この想像で囲いのない現象の無限（同じ体感であることを、意味させるために〝無限〟と記してある）を、前頭葉付近で〝精神的豊かさと適度な緊張感〟を体感することになるのである。

## @ブラック・ボックス

（〝これ以後、〝同じ体感であることを、意味させるため〝無限〟と記してある〟）を記すところは（＊1）と記すことにする。）

右記が、「想像して下さい。世界で一番大きなもの」という無限、（無限の論理と思う）（＊1）を体感する、いや、私が小学生の時に体感した、記憶に残る不確かなであろう想像の一過程である。一過程と記したのは、「想像して下さい」は、想像することは、各個人においての、ブラック・ボックスなのである。どんな想像の仕方でもいい、最大という、無限（今思えば、無限、無限の論理、と思われる。この後は、このことを、省略する）を感じられたら（＊1）。それが、この論理哲学（図4以降の論理哲学、図15α以降の論理哲学）の体感する思考を実現させたかったことであり、実現出来たら、それで、「想像して下さい」の意味は解消するのだ。そして、感じた無限（＊1）が、「想像して下さい。世界で一番小さいものを。」で無限（＊1）を感じ、これら双方は、同じ体感だ。同じものなのだ。同じ一つの〝無限（＊1）〟である。と驚いて欲しいのである。それが、「想像して下さい。」と語っている目的なのである。が、残念ながら、私は右記のようなことを今、想像しても、無限（＊1）を感じられない。というか、小学生の時のようにリアルでない。いや、体感されないのである。要するに、右記の想像の仕方で、世界で一番大きなものを皆さんに体感させられるか、疑わしいのである。だから、右記にて想像しても構わないが、自分なりの適した想像を勧めたい。先に書いたが、この想像部分は、各個人において、ブラック・ボックスなのである。─体感して頂きたい。そう願う次第である。それが、体感哲学─哲学なのだ。

## @再度、相対・無限と絶対・無限

ここで、再度になるが、無限には、二つあり、絶対領域の無限と相対領域の無限である。絶対領域の無限は、囲いを無くすことであり、そのものが、解らなくなることである。それに対し、相対領域の無限は、囲いがあることであり、そのものを縮小拡大し、最大（の場合は縮小）・最小（の場合は拡大）を求めることである。が相対領域の無限は、求める、最大・最小が求められない、獲得されない、限りのないことである、無限なのだ。囲いの付いた、縮小拡大であり、世界の最大・最小を、求めることにキリがなく、無限の営みとなる訳である。私の言っている想像した無限（最大＝無限大・最小＝無限小）とは、囲いのない、絶対領域の無限（最大＝無限大・最小＝無限小）である。囲いのない、無限（最大＝無限大・最小＝無限小）故に、解らなくなるのである。〃@一番大きなものを想像して〃で解るように、相対的な想像を経て、と言うか、原寸大に戻すことによる、無意識的変化をして、絶対の無限を、こちらを想像して頂きたい。それが、最大のもの＝一番大きなもの、なのである。

## @一番小さなものを想像して

では、最小とは何か？　と反対に考えたら、人間よりも小さいもの……石よりも小さいもの、砂よりも小さいもの、点よりも小さいもの、しかし、相対・有限領域の点では、顕微鏡で見れば、石くらいの球体になるではないか。まだ、最小ではない。顕微鏡を使わずしても、前記の縮小―ここでは拡大になるが、この小さいものバージョンを考え辿ると、だからそれは、相対・有限領域の点よりも小さいものがあり、そこで、人間を、いや、想像したもの全部を、原寸大に戻す。そして、無意識的変化をして、それは、絶対領域の最小を求めることである。そして、それより（相対・有限領域の点より）も小さいものが、この世界にはあるはずである……いく末には、見えなくなる。でも、一番小さなもの（一番大きなもの）は、ある、のだ。と囲いのないものを、小さいが見えないが、ある、と求め想像するのである。集中するのである（一番大きなもの、の時も）。たとえ、顕微鏡を用いても、（何を用いても。どんなに技術が進化しても）見えなくなるのだ。要するに、囲いが無くなる。それは、解らなくなることなのだ。だが、しつこく追い求め、絶対領域の想像をする。そして、前頭葉に〝精神的豊かさと適度な緊張感〟を感じて欲しい。そのような感覚でなくともいい。無限（＊1）を体感して頂きたいのである。

あ、付け加えるなら、一番小さいもの、一番大きなもの、それらは、拡大も縮小もできないものである。

これが、または、ブラック・ボックスが、無限（＊1）を体感が出来たら、最大・最小が同じものであることが解る、はずである。そうすれば、「見つけました、魂を」の図4以降の論理哲学が、図15α以降の論理哲学が、楽しく理解できるはずである。

昔故に右にあげた想像の仕方は、〝うう〜ん〟と思うものである。故に、不確かなものであるが、再度、同じ様なことを言う。

## @再び想像して

風呂場で、想像した最も小さいものの考えた道筋は、顕微鏡は登場せず、この小さいものバージョン（だから、小さいものを縮小ではなく、拡大するのである）を考え辿ることで、これらの想像した記憶はあやふやではあるが、最小を導き出されたものである。付け加えるが、このとき、囲いが無くなるなど、意識されなかった。ただ、（原寸大に戻すという行為を通し、無意識的変化をされて）解らなくなる。と思ったのである（無限（＊1）の感覚だけ残る、想像は停止し元の日頃認識に戻ることとなのである）。この、解らなくなる、と理解することは、現在の私には囲いがなくなる、ということを知らしめているからである。これは、私が小学校の時に想像したであろう、現代バージョンなのである。と、あやふやでよく覚えていない最も大きなもの・最も小さなものを想像する、シンプルな思考過程を簡単にいま述べると、以上のようになる。が、これだけの想像ではなかった。おそらく、色々なことを考えていた。その記憶の片隅にある、一波を、付加えると、こうなる。

それは、宇宙で一番と思えるくらいの天体を想像する。そして、その天体を紙に描き込む―縮小する。その天体がリアルになるために、宇宙の果ての天体よりも身近であろう太陽を同じ縮小比で描き込む。太陽はコメ粒位の大きさにする。ドデカイ天体は全体が紙に描ききれなく、円のわずかな部分しか描けない。地球など描ける―見える訳ない。人間など屁を食らえだ。今度は、原寸大―人間を自分を原寸大にする。そうすると、紙に描いたドデカイ天体の囲いは想像もつかない。囲いの付いた、想像の世界から消えるのである。囲いを無くすのだ。縮小して人間、自分が消えたように。そして、その大きさがどの位―想像出来るか半径・直径を果てしなく伸ばし続ける。粘り強く。が、辿り着くことはない。いや、何かに、到達したのだ。だから、何かを感じた。

一番小さなものを想像する時も、目の前に囲いのある凄く小さなものを想像する。が、拡大され、その円―囲いの内部にいくつもの小さいものが出来上がる。それを何度も繰り返し、思考は切り替わり、この小ささは拡大も縮小も出来ない。そして、何も見えないが―囲いはないが―確かにある。最も小さい。これ以上小さいものはない。が、見えない(この時、人間―自分を拡大しているなら、どちらにしても、一番小さいものは、見えないが、自分を世界を、原寸大に戻し、想像してみる)。それを、追い求め続ける、集中する。それを続け、何かに到達する。前頭葉に、何かの体感がある。豊かで程良い緊張、的なものだったろう。その時、体感するのである。この感じは、世界で一番大きいものと、それが徐々に、得た感覚と同じである、と。この時私は、小学生の私は、風呂の湯ぶねの中で、一番大きなものと一番小さなものは、同じである。と驚くのである。―このことを想像、右の想像の仕方はどうでもいい、〝同じ〟だと無限（＊1）を体感してもらいたいのである。

## @言い訳

世界で一番小さいものと、世界で一番大きなものと同じ体感だったのだ（同じ無限（＊1）だったのだ）。だから、最大と最小が同じものである。と確信した、知ったのである。小学生の時に、このような思考を風呂場でした不確かな記憶が、頭の隅にある。この思考を粘り強くすれば、その時感じた何かを、感じることが出来ると思うのだが、なかなか出来ない。一つ言い訳をするなら、他の仕事をしながら、これを考えているため、澄み切った思考状態と時間で想像が出来ない。いや、仕事を辞めたのであるが、想像できない。それは、たぶん、『愛するということ』の著者であるエーリッヒ・フロムが言っていることであるが、「何かを習得しようとするなら、それが、〝究極の関心事〟、でなければならない。」的なことを言っている。私は、これを満たしていない訳である。言い訳だが。だから、体感できない!?　もしかすると、一度体感すると、もう体感できないのかもしれない。それか、大人になって〝無限（＊1）〟についての、驚くほどの純粋体感が、出来なくなっているのかもしれない。そう言いたくもなる。しかし、「見つけました、魂を」やこの書では少なくとも、この体感哲学を、哲学本来の姿を、この体感によって知って頂きたい。少なくとも今、そう思うのである。

## @言いたいこと

このことを、当時小学生の時学校で〝一番大きなものと一番小さなものは、同じ、だよ〟と雑談をしていた合間に、話したら、一瞬、時が止まったかのように輪を囲んで雑談していた友達皆、表情が停止し話を止め、その空白とも言えるような時間が浮遊した。少しして私の話したことが何もなかったかのように、友達は時間と時間を繋ぐように雑談の続きを話し始めた。私は、その無意識に、だから、時間を止めたような友達皆の無表情な態度に、満足したのか？　雑談を黙り見つめながら、雑談に加わっていった。そのことを、明確とは言えないが覚えているのである。段落を変えたのは、本筋と異なることである、と理解しているからであり、また元に戻すため段落を設けるようにしたい。けれども、私の思っていること、言いたいことは、自分で考え—想像し驚きと感激を体感することが、一つの哲学することである。ということを「見つけました、魂を」を創った、今になって、気付くことである。私は、この想像した初めての時、だから、小学生の時、驚きと興奮と感激を、味わったのである。

## @浴槽で、数字でも、想像してみたのである

付け加えて、想像の幅を広げれば、数字で一番大きなものは、と考えると、9兆、えっ

と、0が幾つ付く？　まだまだ、大きな数字はある。キリがない。0が幾つも並ぶことを想像すると、終いには解らなくなる。ここでも、一番大きなものは、解らないもの、になるのである。その反対の一番小さいものとは、数字で小数点がつき、同じ様に0が幾つも付く、キリがない。やはり、解らなくなるのである。一番大きな時も・一番小さな時も、無限に0が並ぶ、そのように、最終的に理解した（詳細は書けなかったが（記憶が確かでないために）、こんな想像であった、と記憶している。マイナスがないどころが、小学生故、知識がないことを表している）。「想像して下さい。」とは、この段落、前段落のようなことを、ブラックボックスを、前意識的に体感─哲学して欲しかったのであり、私の論理哲学（図4以降の論理哲学、図15α以降の論理哲学）をただ展開したかったからである（ところも、今になって、気付くことである）。

以下展開される抜粋論理哲学も、図15α以降の論理哲学も、そこの論述も、頭脳を通して体感─哲学してもらいたい。でなければ、この抜粋論理哲学は、図15α以降の論理哲学は、〝理解できない〟はずである。と、言い過ぎたかも知れないが、想像して、体感を得なくても、一番大きなものと一番小さなものが、無限（＊1）であること─解らなくなることに気付いてくれれば図4以降の論理哲学は、図15α以降の論理哲学は、理解できると思うのである。「解らない」とは、〝無限（＊1）〟であるから、「解らない」と言っているわけである。と、「見つけました、魂を」を創った今になって、思い感じる、「想像して下さい」の語りかけなのである（「見つけました、魂を」を創造した、書いている時は、「想像して下さい」と目論見的なものはほとんどなく、莫大な力によって、創造書き進められたものである)。

## @哲学とは

私は哲学が解らない。と言いながら、これが私の哲学だ、とか、こうあることが哲学だ。とか、言っている。確かに、私が思うに、これらは、哲学であると思う。しかし、核心的な哲学が解らないのである。

## @絶対領域と相対領域の場

「無限について話してみましょう。前記の核(上)を最大に広げたこと、無限の世界のこと、核(下)の最も小さいこと、これらは日頃認識する領域を超えてしまいます。」で「これらは、日頃認識する領域を超えてしまいます。」は、日頃認識領域─相対・有限領域から、絶対・無限領域に侵入するという意味で、世界の場、日頃認識領域と同じ場に絶対・無限領域へと達する訳である。それを、「これらは、日頃認識する領域を超えてしまいます」と言った訳である。が、これを綴った「見つけました、魂を」を書いている時は、日頃認識領域・相対・有限領域と絶対・無限領域は同じ場にある、ということを、意識されていなかった。哲学者プラトンの「イデア」のように、天にあるような的な、別のところにある。のような感覚で、綴られた文章である。

だが、今は、違うのである。日頃認識―相対・有限では、直接理解できない。というか、日頃認識に実在しないのである。〝最も一番なもの〟は、絶対領域に移行するのである。移行を既にしているのである。そこが住み家なのだ。相対という語を活用すれば、それに対立する語、絶対、絶対領域に達し、無限になる。その無限は、無限の真の論理である、対立するものが、同じである。と同時に、対立したまま、という、一番小さいものと一番大きなものは、同じである（中間のものは〝大きい〟に、同じにしてある）ということなのだ。この相対・有限では、対立する両者であるが（相対・有限に実在しないが）、絶対・無限の論理では、真であり、無限・絶対領域でも対立するが無限の論理において丸くいくように、なっているのである、絶対領域では、無限の真の論理であるのである（対立したものが、同じであり、同時に、対立したままなのである）。そして、超えてしまうという感覚に陥るかも知れないが、世界の場、それは、唯一であるが、相対領域と同じ場に絶対領域もあるのである。相対と絶対、対立するものは、同一であり、対立したままであるのだ。ただ、相対領域のものに、何の接点がない、ということであるのだ。同じ場にあるのである。

## @「解らなくなるのです」とは

「解らなくなるのです」は、想像の段階で語ったように、囲いがなくなり、無限になる。そのことは絶対領域になることに至るが故、相対・有限では、〝解らないもの〟となるのである。

@絶対と相対

一番とか、最もとか、いうのは絶対領域のものである、と私は言っている。それは、相対領域の格差を有する故のことであり、その意味では、絶対領域が優位なのだろう。けれども、絶対と相対は同じものであり、対立するものであり、平等なものであるのだ。そこに格差はない。

@もう一度触れるが

その後の、〝想像〟を語る論は、もう、語ったので言わないでおく。もし、想像にて、体感できなくとも、一番大きなものや一番小さいものは、囲いがなくなることから、無限(＊1)であり、〝解らなくなる〟のである。ということを、理解して置けば、この書や「見つけました、魂を」での論理哲学(図4以降のと、抜粋ではないが、図15α以降の、である)は、論理理解されるであろう。

@前置き

「「解らない」と「解らない」ということで、これらは一つになる。なぜなら、「解らない」と「解らない」で同じ、というものだからです。そして、解らないということで、日頃認識領域から消えている。最小が最大で、最大が最小になり、日頃認識領域から消えているからです。これは、日頃認識領域ではないことですね。」と段落を変え前の図4以降の論理哲学に戻る。（見えない―消えている、とは、相対・有限の論理と異なる、ということで、そうなっているのだ）。しかし、前段落の想像したことを思い出しつつ抜粋した論理哲学（図4以降のと、抜粋ではないが、図15α以降の）を考え、出来ることなら、体感して頂きたい。想像しても、体感できなかった方は、前々段落を理解できれば、解るはずである。

## @相対領域での同じ

「「解らない」と「解らない」ということで、これらは一つになる。なぜなら、「解らない」と「解らない」で同じ、というものだからです。」、私が推測するにこれを〝しっくり〟こない、理解できないという方は、以下のことで不思議に感じられているのであろう。それとは、日頃〝同じ〟と言う時は左右に並べられた個物が、同じ、というものを言うであろう。しかし、それは真に同じではない。それどころか、異なるものなのである。なぜなら、見える世界での座標軸が異なるではないか。座標軸まで同じになって、全てが同じになって、初めて〝同じ〟と言えるのである。「同じ」、だから、「これらは一つになるのである」、ということである。この〝座標軸〟の論は、以前1年ほど通っていた〝無用塾〟で知恵を与えてくれたかもしれない。そのことをもう、忘れてしまっているのだ。

それは、さて置き、おそらく、私は〝同じ〟ということを、座標軸とかではなく、普通にしっくりきて、〝同じ〟と26歳の時（〝同じ〟ということを、ここことは、違うことを考えていたが）、この時強烈な、感激と喜び、を感じた）や「見つけました、魂を」を創り上げた時は、考え感じたのであろう。「解らない」は、無限（＊1）のことである。故に、一番大きなもの＝〝無限（＊1）〟と一番小さなもの＝〝無限（＊1）〟だから、同じなのであるのだ。で。でも、互いは、一番大きいものであり、一番小さいものである。同時に、一番小さいものであり、一番大きいものである。

両者が、同じ、無限（＊1）記していることから、右は、既に、言い当てている。

## @囲いがなくなることは

次の抜粋論理哲学にいくと「そして、解らないということで、日頃認識領域から消えている。」とは、前記のことを〝想像すれば〟解らなくなることは、日頃認識領域で位置できない、日頃認識では無いものである（というか、相対・有限の論理では、異なる論理であることから、見えない―消えている―解らないのである）、ということが理解できるであろう（しかし、確固として〝そこ〟に、〝どこそれ〟と言われても、〝そこ〟に日頃認識領域とかではなく、絶対領域である、世界の中心に常に存在するのである）。そうでなくしても、抜粋論理哲学の論理が真であることを論述できる。それは、〝想像すると〟「見つけました、魂を」を創り上げた後、気付いたことであるが、〝囲い〟が無くなることは、絵的に理解できない、日頃認識領域では理解できなくなるのである。そうなると、日頃認識領域では、消えてしまう―理解できなく―実在できなくなるのである。と論理が異なるから、見えない、消えている、解らない、の論理が異なるから、以外にも言えるのである。

## @相対領域には、2番以降しかない

「最小が最大で、最大が最小になり、日頃認識領域から消えているからです。これは、日頃認識領域ではないことですね。」〝解らなくなる〟ことが理解（体感）―哲学（体感）されたなら（相対・有限の論理と異なる論理であるから、見えない―消えている―解らない）、最も大きなものと最も小さなものが「同じ」になることが理解できるであろう（体感できなかった方は、想像すると、囲いがなくなる―無限（＊1）になる、そのことが理解できれば、抜粋論理哲学が、図15*a*以降の論理哲学が、ここのことが理解できるであろう）。だから、最も大きなものが最も小さいものになり、最も小さいものが最も大きなものになるのである。どちらも、同時に成立している事柄である。ということは、対立したまま同一、なのである。ということで、無限ものは、見えない―消えている―解らないのである。

日頃認識領域では、大きなものが小さなものと「同じ」になることは無いことであり、この、日頃認識領域から消えるものは、無限・絶対領域と言えよう。それと、無限・相対である。そうでなくしても、この抜粋論理哲学で求めた、図15a以降の論理哲学で求めた、〝もの〟は、「無限について話してみましょう。」と記したことからも言えるが、そして図4・図15aから理解し抜粋論理哲学から、図15a以降の論理哲学から、哲学して―体感したと思うが（体感できなくてもいい、囲いがなく、それは、無限（＊1）である。ということが解ればいい）、勿論、最大―無限大であり、最小―無限小である、なのである。それから、最も大きいもの・最も小さいもの、それらは、絶対大であり絶対小である、と同時に絶対小であり絶対大である。これ以上の大きなもの・小さなものは〝ない〟と。そう、絶対大はこの体感哲学で味わったもの〝無限（＊1）〟であり、絶対小も〝無限（＊1）〟なのである。互いは同じ〝無限〟なのである。無限（＊1）と無限（＊1）だから、同じなのである。無限の論理である〝対立するものが、同一であり、対立したまま、である〟を最大と最小が、無限で、無限の論理で同一であり、それは、最小に同一であることであり、最大に同一であることである、対立したままなのだ。同じ、同一とは、このことである。ということも、同時に感じ理解できると思う。最大＝無限、最小＝無限、であり（＊1）、互いは、無限の真の論理である、を満たす、この前段落の最初の論理を展開し、絶対領域では、一つの無限になるのである。一番大きなもの・一番小さなものは、絶対領域で同じであり、一番…というものは、相対領域では理屈ではなく、絶対領域にはみ出し、対立するものは、同じ、一つのものという、論理をなすのである。対立するが、絶対・無限領域の無限の論理上、真のものなのであり、同じなのである、ということは、前記してあるが、と同時に、対立しているのであるのだ。（最大＝無限・最小＝無限、としてあるが、小学生の体感から、今思えば、無限であろう、双方の同じ体感だったのである）。

## @価値、論理展開

「所在は、世界の中心です。互いは中心でありながら最も外輪で、最も外輪でありながら中心であるのです。」については、〝中心〟とは重要で価値あるもの、最も価値あるもの、と私が「見つけました、魂を」で前意識的に理解していたこと―思って、感じていたことであり、その思いで記したものであるが、事実、〝中心〟とは、大切な価値のあるものなのであり、例えば、その集団の中心人物とか・社会の中心人物とか・その国の中心とか・世界の中心とか、上げればキリがない。「見つけました、魂を」やこの書では、この無限で絶対なるものが〝魂〟である（言わずと知れた、〝魂〟は「見つけました、魂を」やこの書において、価値ある重要なものである）が、それは、所在が世界の中心、なのである。そうであるならば、その後の論理展開も必然的に論理されるものである。それは、〝最も、一番であるもの〟が、対立するものが、〝無限〟であり、同じになるということ、そして、同時に、対立したままであること。であるから、抜粋した論理になるのである。だからそれは、「所在は、世界の中心です。互いは中心でありながら最も外輪で、最も外輪でありながら中心であるのです。」と論理展開される訳である。これは、図5・図5

α・図9・図19の魂の図を、導き出す、論理である。となるのは、図5は「見つけました、魂を」では、「 」の論理の途中経過であり、最終的には、図6にて、無限の論理になり、一つになり、対立したままである、ことから、図6が、相対・有限の論理と異なり、消えているのである。図6は、「見つけました、魂を」での〝無限の論理〟は、日頃認識では消えます、を主張するための、図なのである。だから、図6と記されていないところは、無限の論理を描いているのである。そして、図6は、真理運動の、片方だけの同一、無限の論理である。

絶対領域での〝無限〟の真の論理―対立しているが、絶対・無限領域の論理上、丸くいく論理なのである（対立したものが、同じになり、同時に、対立したままであること）。そして、この抜粋論理哲学で求めた、図15α以降の論理哲学で求めた〝もの〟は、〝最も大きなものが最も小さいものになり、最も小さいものが最も大きなものになるのである。どちらも、同時に成立している事柄である。〟から解るように、〝中心〟と〝外輪〟が求められ右記のように展開されるのである。であるからに、それは、「互いは中心でありながら最も外輪で、最も外輪でありながら中心であるのです。」なのである。言い方を変えれば、〝中心〟とは、最も中である、ことを言うのである。前論理展開を言い換えれば、「互いは最も中（内）の点でありながらも最も外輪で、最も外輪でありながらも最も中（内）の点であるのです。」ということになる。

図5・図5α・図9・図19（参照）が論理展開し、内核・外核がそれぞれ互いに同じに

なる。そして、対立したまま、である。図5・図5α・図9・図19は無限であり、既に日頃認識領域から消えているのであるが（無限が、相対・有限の論理と異なっているから、消えている）。（図5は不完全な無限の図であるが）。（無限の論理とは、「対立しているものが、一つになり、同時に、対立したままである」である）。〃ということになるが、図5α・図9・図19は、図5と違い、即に図6状態である。「対立したものが、一つになり、同時に、対立したまま」であり、図6と同じく、消えているのである。図5α・図9・図19は、そのままで、消えているのだ。しかし、即の永遠に、描かれる。描かれたと同時に、内核（中心核）と外核が、それぞれ互いに、同一になっているのである。（図で外核が中心核に向け、それぞれを同一にし、外核が対立する中心核に、同一になるのである。この同一は、同時に行われている—そして、外核と中心核は、その他も、対立したままである。前の図5・図5α・図9・図19に、なっているのである）。

〃図5・図5α・図9・図19は無限の全体であり、無限の論理から日頃認識にて（図5は、不完全な無限であるが）、既に消えているが、方法—日頃認識のあり方で、即の永遠に、描かれており、その図で見えている。その図5・図5α・図9・図19を内核（中心核）と外核が、それぞれ互いに、同一にする、なるのである。図5・図5α・図9・図19は内核（中心核）と外核が、それぞれ互いに、同一にする、なっているのである。（全体の無限が、図に描かれている無限全体が、内核（中心核）と外核が、それぞれ互いに一つになる。同じになる図4以降の論理哲学にて、図15α以降の論理哲学にて、対立しているものが、同一になり、対立したまま、である。（無限全体を内核（中心核）と外核へと一つにしても、無限全体は残っている。無限全体は、無限全体のまま、なのである）。日頃認識で描かれた図が、同じになる図4以降の論理哲学と、図15α以降の論理哲学と、対立しているものが、同一になり、対立したまま、なのである。（図5α・図9・図19は、無限の論理から、描くと同時に、消えているが。けれど、内核（中心核）と外核が、それぞれ互いに、一つになる運動を即、するのである。即、図5α・図9・図19を描いたと同時に。消えても、と言うか、消える前に、即の永遠に、描かれているのである）。「見つけました、魂を」での図5が図6で消えるのは、無限の論理だから日頃認識では消えていることを（図5では、図5α・図9・図19のような（図4α・図15αの無限階層的地層図の完全全開こじ開け）、無限の論理になっておらず、図6（図7・図7αも）にて、その無限の論理になっているのであり、消えること）、主張したかったのである（そう、無限―魂は、「見つけました、魂を」にて、図5から図6になり、だから図6が、無限の論理にて、日頃認識から、消えていることを言いたかったのだ）。主張するために、設けられた、図なのである。が、しかし、図6の中心核が、無限で中心核として描かれ、図5も図5α・図9・図19も、即、同一になって、対立したままのことからも、描かれているのである。即、図5・図5α・図9・図19が図6へと、行われていることであり（これは、真理運動の片方である）、即、描かれるのである。この即で永遠運動はなされ（これは、真理運動の片方である）、それぞれが、即の永遠に、描かれているのである。これは、無限に対する、日頃認識的理解の方法なのである。しかし、図6では、図6の現象が、消えるのである。その意味の、図なのである。が、方法をしていない、無限の論理、「見つけました、魂を」の図5から、無限の論理になった図6（図7・図7αも）が、消えている。図5α・図9・図19は、即に無限の論理であり、そのまま、消えている。無限の論理では、日頃認識から、消える—見えないものである。そもそも、図6で消えることは、その無限の論理であるからである。図6では、この書や「見つけました、魂を」の方法がされていないのだ。図5α・図9・図19が、そのまま、消えているのも同様である。その無限の論理を表している。無限の論理を主張すると、こうなるが、「見つけました、魂を」やこの書では、日頃認識で描かれているのである。即の永遠に。図6は、除く。

図5・図5α・図9・図19は、無限の球体の図であり、無限にこじ開け、こじ開け始めの、開くものを入れるのである。無限であるから、即で永遠である。これらの球体の日頃認識的図では、無限に達するには、完全こじ開けになる。しかし、この図の無限は、こじ開けはじめ、が、無限であり—即で永遠である、から、こじ開けはじめと同時に、〝無限にこじ開け、こじ開け始めの、開くものを入れる〟こと目的である—即、完全こじ開けに至り、（即は、初め、と終わり、が同等だからである）、それが、永遠に続く、ことになるのである。日頃認識的図で、完全こじ開けが、日頃認識的図の無限に至るのである。そして、日頃認識的図でいう、完全こじ開ける度に、無限が、元の、元の本来の無限状態で即、復帰するのである。そして、即、日頃認識的図を描かれるのである。図5・図5α・

図9・図19の無限球体をこじ開けようとすると、即、日頃認識的図の完全こじ開け—日頃認識的図の無限になり、無限が即復帰するのである。そして、即、これらの図が描かれるのである。これが、永遠続くのである。この無限の球体のこじ開けが、全てであり、以下の、無限の球体のこじ開けに、変化を少し加えている。それは、解りよくするために、設けたものであり、ここでの論が、言いたいことの核心である。

図4・図15αというと、図5・図5α・図9・図19の前段論で解るように、図4・図15αも同じ要領で、展開される。球体でないだけなのである。それは、図4・図15αにこじ開け、始めの開くものを入れる。すると、無限階層的地層図でであり、無限であるから、図5・図5α・図9・図19の時、起こったことが起きるのである。無限であるから、即で永遠である。だから、こじ開け始めの、こじ開けようとする目的は、即、完全こじ開けに成るのである。そして、そのこじ開けは、永遠にされているのである。そのこじ開けは、日頃認識的図で、完全こじ開けになり—三角こじ開けの上下こじ開けで、全て無くなることであり、そして、無限に至った日頃認識的図は、無限が元の、元の本来の無限として復帰する訳である。それから、即、四角—無限階層的地層図として、描かれるのである。この一連のことが、永遠に続くのである。

「見つけました、魂を」では、図6が、無限—魂が、無限の論理から日頃認識では、消えること、見えないことを、とても、言いたかったことであるのだ！（日頃認識では理解できないから）。けれども、「見つけました、魂を」やこの書の方法である、日頃認識で描かれている。無限の論理の図も。だから、図6も、即、描かれるのだ。しかし、「見つけました、魂を」の主張の、無限の論理は日頃認識から、理解できない―論理が違うことから、「見つけました、魂を」のその図6では、消えているのである。この書も、図6は、無限の論理を主張するものであり、消えているのである。

## @球体のこじ開け

「その説明図は、図5です。これは、世界をこじ開けてできる、球体の図です。核は器ですから、一番端にありますよね。」については、「その説明図は、図5です。」とは文章の通りである。(と真には、「見つけました、魂を」で、図6まで影響しているのだ。抜粋論理にて「対立するものは、一つになり、同時に、対立したままである」のようなことを言っており、「見つけました、魂を」の図5から図6まで必要である抜粋論理は、「見つけました、魂を」では、図6まで説明しているのである)。ここでは、図4・図15αにて解るように、上下の核・階層的地層図で表した世界は、無限になる。図5・図5α・図9・図19において図に描かれている真理図―図5・図5α・図9・図19は、抜粋論理哲学にて、図15α以降の論理哲学にて、導かれるものであるが、内容的に更に付け加えれば、こういうふうに言える。それは、だから、図5・図5α・図9・図19の外輪(外核)・中心核(内核)はそれぞれが、最も内の核であり同時に最も外の核である。だから、外輪(外核)は最も外の核であり最も内の核である、そして、中心核(内核)も最も内の核であり最も外の核である。それと、図5・図5a・図9・図19の内部を更に付け加えてみれば、それぞれの人間層において、それぞれの地球層において、それぞれの宇宙層において、最も外の人間層と最も内の人間層・最も外の地球層と最も内の地球層・最も外の宇宙層と最も内の宇宙層を、それらが、外核側であり、内核側は、最も内の人間層と最も外の人間層・最も内の地球層と最も外の地球層・最も内の宇宙層と最も外の宇宙層を、表しているのである、と、そうとも前抜粋論理より、図15a以降の論理哲学より、とれるのである。(〝互いは中心でありながら最も外輪で、最も外輪でありながら中心であるのです〟は中心とは、〝最も内〟を意味し、最も外輪は〝最も外〟を意味する。〝最も〟は、意味がないので、〝内〟〝外〟としていいが)。

「これは、世界をこじ開けてできる、球体の図です。」この抜粋は、〝世界をこじ開けてできる、〟とあるが、改めというか、明記したい。それは、〝世界をこじ開けて、復帰した、球体の図です。〟としたいのである。図4・図15aの一連の話では、図4・図15aの〝世界〟がこじ開けられ(逆三角と三角)、無限に核―世界の横、上の核を無限にこじ開け、と世界の縦の上の核の、真ん中から下の核を点にて貫通することにより、それぞれの逆三角の部分が、∞に達し、無限にこじ開けた、世界は、無限の世界に復帰するのである。実は、残りの三角もこじ開けられる。無限に核をこじ開けるのであるから、こじ開けによって完全こじ開け、一度に階層的地層図を全開にする、ことは、上下核の三角こじ開けによる、無限階層的地層図の全開により、満たされ得るのである。が行われるのである。そして、こじ開けられた場に、復帰するのである。

無限球体は、なぜ、こじ開けが可能になるか。前記していることと、本筋は、同じことだが、それは、こじ開けを可能にする、「見つけました、魂を」やこの書での方法である、日頃認識的図にて、理解しているからである。だから、不動と考えられている（と思う）〝無限〟がこじ開け（しわ寄せ—こじ開けの最終点無限に漬け込まれる）られるのである。こじ開け始めから、日頃認識的図を対象にしているのであり、球体はこじ開けられて行く。最終地点である、無限へとだ。球体がこじ開けにて無くなりこじ開けが、全て無限に至ると、それは、制限—限りが無くなることであり（日頃認識的図）、以上の無限は、こじ開けも即だが、即、無限は、元の本来の無限の場に復帰するのである。この一連のこじ開け、復帰は、即であり、何もなかったのように、無限は〝ある〟のである。そして、これも即だが、方法である、日頃認識的図が復帰した即描かれるのである。無限球体日頃認識的図が在るのである。これが、永遠続くのである。こじ開けとは、即で永遠であるからである。—図4・図15αのこじ開けでもそうなのである。図15αで論じれば、日頃認識的図のこじ開けは、三角の上下の核の無限世界—無限階層的地層図の全開になる。その全開（四角）は、無限に至り、無限は、元の本来の状態で元の本来の場に復帰するのである。これらも、即行われている。そして、即、日頃認識的図が描き込まれるのである。これも、同じく、即に永遠に—無限に続くのである。

この復帰したものは、無限だけではない。絶対なのである。この論述（前々段の「　」）

は、前記にてしたことの論理（互いは中心でありながら最も外輪で、最も外輪でありながら、中心であるのです。）と同じ段落に表され、図5・図5α・図9・図19を導くのである（階層的地層図―世界であるから。とも取れるからである）。ただ、それぞれこじ開けられ、復帰した、図4での逆三角・この書にて図4に更に付け加えた三角が、球体になっただけなのである（図15α参照）。この球体は、図4・図15αのこじ開けて出来ている逆三角・三角それぞれが、一度の球体のこじ開けで同時に出現、満たされることであり、互いは一つの世界なのである。球体が二つになると、思われるかもしれないが、同じになっており、それを、証明するのは、図5・図5α・図9・図19にて、こじ開ける核が、上の核であり下の核である、下の核であり上の核である、ことから解る。こじ開けによって復帰する世界は、図4・図15αの、逆三角形・三角形を表す、同じになった、一つの球体なのだ。と同じであることを強調したいがために、記してあるが、無限の論理から解るように、〝対立する球体は同一であり、即、対立した球体のままである〟のだ。同じ球体であることは違いないが、それだけではない。球体が対立しているのだ。図5α・図9・図19は、それを、表している。無限の論理で、対立したまま、同一、なのである。

再度、角度を変えて言うと、なぜなら、図4までは、四角の無限階層的地層図の世界である。それを、論理展開から、球体になったのである。一度のこじ開け―描かれた球体の外核の上下核をこじ開けることで、内核の下上核をこじ開けることで、球体は、図4・図15αまでの四角の無限階層的地層図の世界を表すのである。こじ開けられた部分の、一つの球体でありながら、同時に、対立したままの球体である（図は、日頃認識のものであり、球体は、無限の論理を日頃認識で満たしている。図は完全に表しきれないが）。内部が透けて見える、図5・図5α・図9・図19なのである。そして、「見つけました、魂を」での、図4までは、不完全な図であり、立体的―現実的に表記するため（無限―魂を理解するため）、無駄を省くため、図5・図5α・図9・図19は、必要だったのである。では、日頃認識領域から導いた世界理解から、そして、人間は無意識のうちに魂を探していることを通して、世界は次のように無限・絶対の〝もの〟になる。図4・図15αが、こじ開けをしたように、こじ開けがこの球でなされる。球体の核（上の核）と核（下の核）、同じになっている一つの核（描かれた球体の外核）であるが、を無限にこじ開け、その時、内核も同時にこじ開けられる。球体を無くす、丸裸にする、全く無くなる。図5・図5α・図9・図19が一度無くなることにより、これは、こじ開けが無限に至ったことである。（いや、もう、図5・図5α・図9・図19は無限なのだ。そうだが、「見つけました、魂を」やこの書の方法で日頃認識的図にて無限へとこじ開けが、可能に成っている。そうとも、考えられるが、そして、以下のように、言いたいことであるが、描いた図は無限であり、こじ開け始めると、同時に即に、無限にこじ開けられるのだ。なぜなら、無限―即で永遠だからである。球体にて日頃認識図の無限にて、このように、こじ開けがなされるのである）。それは、図4・図15αで上の核が、下の核が、無限に達したことと同じく、図5・図5α・図9・図19で無限を表している、立体が無限（最大）に達したことと同じであり、であるからに、立体の球体を、完全に、即、こじ開けることを意味し、球体は、無限になって、復帰されるのである。そして、無限はまた、立体化―球体にされる。なる。即、永遠にこじ開けられ、無限になってまた、即、復帰するのである。勿論、即、日頃認識的図に描かれる。そして、立体化されるのである。このことが繰り返される。この無限のこじ開けは、即に永遠になされるのである（無限に達した図４・図15αも同じことである）。こじ開けにて、即永遠に、で復帰している。球体が、これが、私が探していたらしい、〝魂〟なのだ。いや、万人が求めている核心の〝もの〟なのである。―〝魂〟と命名しなくともいい。存在や神や無限や愛など、孤独に対して恥じないシロモノならば、それで何を当てても構わないのだ。それらは、絶対・無限な普遍なもの・確かなもの、なのである。

## @図5・図5α・図9・図19の運動と無限

「その説明図は、図5です。これは、世界をこじ開けてできる、球体の図です。核は器ですから、一番端にありますね。それぞれは、一つになります。人間層は人間層に、地球層は地球層に、宇宙層は宇宙層に、核（外輪）は核（中心）に。その図がこれです」で、もう述べたところがあるので、下記のことを述べておきたい。「それぞれは、一つになります。人間層は人間層に、地球層は地球層に、宇宙層は宇宙層に、核（外輪）は核（中心）に。その図がこれです。」このように、同じになって行っても構わないが、この書では、大きいものが（大きいものは、その大きいものを維持したまま）小さくなって行く、最大が最小に流れて行くように同じになることを、述べたい。それは、人間層・地球層・宇宙層などの名称は無限であるからなくなり、外核が中心核に向かい、それまでの身近な、人間層・地球層・宇宙層を消した、消えた、無限と外核が同じになって行く。そうして、終いには中心核と同じになるのである。一つになるのである。そして、同時に、対立している。だから、中心核と外核が、同時に、対立したままである。流れから以上、同一になり、同時に、対立したままである。このことは、サイクルの永遠運動であり、核の流れを言い当てている。ということは、真のありようは、最大（最大・最小）である無限は、最小（最小・最大）とはじめから、対立したままであり、無限全体がそのままで、無限全体が（外）核と同じく（内）核へ向かい同一になる。そして、同時に、対立したままである。これは、無限・絶対での同一のありようであり、日頃認識領域の論理では理解できない論理であることから、解らなくなり、消えるのである。無限の論理の無限を、立体的図で表しているが図6で消えている（図5α・図9・図19では、そのままでも消えているが。無限の論理から）。図6が登場していない、無限の論理は、その図6を日頃認識で描いた中心核への（同一であり）であり、図5・図5α・図9・図19（対立である）なのである。—対立するものが、同一であり（中心核）、同時に、対立したままである（図5・図5α・図9・図19）のだ。（この運動での、核の動きから）。無限の論理であることは、消える。ことを言いたいために記したが、この書では、図6も図5α・図9・図19も即、描かれているのである。このように、「見つけました、魂を」やこの書では、図6―無限の論理は、描かれている。が、図6が、登場する時は、方法されない、描かない図なのである。

そして、その逆、最小（最小・最大）（中心核）が最大（最大・最小）（外核）に流れるように、同じになることも、同じ逆の要領で、展開されるのである。（最小が最大に向かう時は、最小を維持したままである）。これら、双方は、同時に行われているのである。

それから、即の永遠運動で、最大（最大・最小）（外核）は最小（最小・最大）（中心核）に、最小（最小・最大）（中心核）は最大（最大・最小）（外核）に、同一になることも、付け加えなければならない。右の運動は、再度言うが、サイクルの永遠運動である。そして、再度言うが、対立したものが、同一になることは、同時に、対立したままである、ことを意味する。だから、同一と同時に、図5・図5$a$・図9・図19があるのである。核の流れでは、こうなのである。（図9参照）。これが、無限である。ところのサイクルの永遠運動である。ということである。

「見つけました、魂を」での図6になる運動は、即、行われている。「見つけました、魂を」の図6は無限の論理になった、ということから、消えているのである。「見つけました、魂を」での無限の論理は、図6だけ消えている。この書も、図6と登場した時は、無限の論理で消えている。

## @魂と図6

「「同じ」になりましたね。プリントミスではありません。消えているのです。私が言いたいことは、人間層、地球層、宇宙層、—まとめたものの無限有体—魂は、無限であり核と同じになる、ということです（無限だから無限有体—魂は、図7のようにそこにあり続けるのです。そして、図5のすべても）。そして、立体的に考えると、世界は、核（中心—入口）から核（外輪—出口）へ、日頃の認識領域（図5の運動で図7ができた時の空白のところ）へと出現するのです。どうなるかは、ここでは置いときましょう。」で「見つけました、魂を」での図5・図5α・図9・図19は、無限であるが、日頃認識領域での描かれたものである。これが「見つけました、魂を」やこの書の方法である。故に、見える、無限・絶対領域での図5・図5α・図9・図19の運動である、サイクルの同一論理—描かれたものが、一つになり、同時に、対立したままになることを満たすのである。そして、無限—無限の論理であることから、そのまま、（一つになり、同時に、対立したまま、以前から既に、同一であり、対立したまま）あり続けているのである。日頃認識領域での描かれた、図5・図5α・図9・図19は、真理運動をするのである。無限であるが、方法である、日頃認識領域での図を、即の永遠に、描いているのである。図6以外では（図6以外の図では）、図5・図5α・図9・図19・図7とかは、見えない無限が、日頃認識領域での立体的に描かれた無限、として存在し続ける。「見つけました、魂を」の日頃認識領域での、図5を描いたものは、図5・図5α・図9・図19の必然運動にて、無限の必然運動にて、内核（中心核）と外核が、それぞれ互いに、同一になるのである。

そして、見えない―消えている図6を説明するなら、日頃認識での図5・図5α・図9・図19は、消え、（見えない）無限である、図5・図5α・図9・図19・図7などの真理図や真理運動で出来るものは、あり続けているのである。図6では、これらの図が、日頃認識の図で描いていないが、日頃認識から、見えない―消えているが、あり続けているのである。この図6になる「見つけました、魂を」の真理運動は、片方だけの真理運動である。

〃@図5・図5α・図9・図19の運動と無限〃にて少し述べてあるが、図5・図5α・図9・図19の全てが、だから、外核と同一になったものが中心核に向かい、同じになるのである。それは、流れて行くようにでである。その反対、中心核が外核に向かい、大きくなって行き同じになる。ということも、勿論、言える。更に、二つが同時に行われているのである、そして、対立したままであり、描かれた無限は、あり続けるのである（図9参照）。そして、「見つけました、魂を」での同じになる、やり方でもいい（外核が中心核へと同じになることだが、一方向だけだが。（即の永遠運動である）。「見つけました、魂を」の流れから、仕方ない）。それと〃@図5・図5α・図9・図19の運動と無限〃にて、述べているように、即の永遠運動で、最大（最大・最小）（外核）は最小（最小・最大）（中心核）に、最小（最小・最大）（中心核）は最大（最大・最小）（外核）に、同一になるのである。この書の〃核論〃のところで、述べてるので言わなくともいいが、核は、最大

(最大・最小)(外核)を最小(最小・最大)(中心核)を、維持したまま対するものと同じになるのである。

図4以降の論理哲学から、日頃認識の論理であると理解できないことから、「プリントミスではありません」で「消えているのです」なのだ。魂についてだが、「見つけました、魂を」では、図7のことを魂と呼んでいる。この書でも、人間層・地球層・宇宙層、のまとまったもの―魂と、呼んでいい。が、一番に押したいのは、図5・図5a・図9・図19の全てを魂と、呼びたいのである。そして、図7は魂と呼んでいる、人間層・地球層・宇宙層、のまとまったもの―魂とすることもいいが、この図に核を付け加えたい。核も魂なのである。そう、言いたいのだ(図7a参照)。図5・図5a・図9・図19からそれぞれは、一つになる。対立するものが一つになる、そして、対立したまま。これは、絶対領域での、無限の論理である。絶対領域での無限では、対立するものが、同一であり、対立したままである、論理が、論理上丸くいくのである。最もとか、一番、というものは、絶対領域での〝もの〟であり、最も、一番の対立するものが同じで、対立したまま、ということは、無限の真の論理なのである。一番大きなものと一番小さなものは、同じ無限(＊1)なのであり、同一なのである。そして、一番大きなもの、一番小さなもの、のままである。日頃認識領域―相対・有限で、あり得ない論理であることから、日頃認識領域では消えているのである。日常的なことを表すため、こう記したが、「見つけました、魂を」やこの書では、描いているのである。

図5・図5α・図9・図19が、無限であるが、それぞれ、右の同一であり、対立したまま、になる現象が満たされても、図5・図5α・図9・図19自体は不動なのである（勿論、対立したままの図であるから）。図7・図7αも図5・図5α・図9・図19も、無限故にも、そのまま、あり続ける訳である。しかし、図6では、日頃認識領域の描いた、図5・図5α・図9・図19は消えているのだ。それは、「見つけました、魂を」での図5から図6において、最小・最大の無限の論理が成立したから、日頃認識では消えていることを主張したかったからであり、一つになった中心核も、対立したままの、そう、無限は存在し続けるという、図5・図5α・図9・図19も全て消えているのである。以下の〃@魂と図6〃での始めの「」内の後半の語りは、〃どのように出現するか〃ということは置いておく。

図5・図5α・図9・図19は、「見つけました、魂を」やこの書の方法である、日頃認識領域的に、そして、立体的に、描かれ存在、いや、実在している産物であり、無限を表した、日頃認識での描かれたものである。その描かれたものは、図6では、消えるのである。前段落で述べた通りである。―しかし、図5・図5α・図6・図7・図7α・図8・図8α・図9は、無限で絶対領域を表し、意味する。日頃認識図で、方法で描いてあるのである（図3・図11・図12・図4・図4α・図14・図15α・図17・図18・図19も）。だから、図5・図5α・図9・図19が、消えるのは、図6のみである。

## @右の「同じ」になることと、真理の普遍運動について

「見つけました、魂を」での語りでは、最外が中心に同じになるような、一方法としての形式的な「同じになる」は成立すると理解されると思う。ここで再度、付け加えたいのは、こじ開けられ無限・絶対復帰した〝もの〟図5・図5a・図9・図19は、無限であり、人間層、地球層、宇宙層、は、その名称と分類の囲いを無くし、〝無限の広がりを満たす―最大を意味する、最外〟という核が中心へ、それは、最外に球体の最外核（また、無限の広がりがある、無限大の元々を表してもいる。最大である。そして、無限小の元々を表している。最小である。）・中心核（無限小の元々を表してもいる、そして、無限大の元々を表してもいる。最大である。という意味で）を創り、その線で無差別に、同じに成っていることを示す、外と中心（内）の核が対立する核の始まりの時点へ（最外核は中心核へ、中心核は最外核へ）絶対時間というかのように、流れ、その動きをするのである。核が流れていくのだ（図9参照）。そして、サイクルという運動をするのである。真理運動は、即の永遠の運動と、流れるように同じになって行くサイクルの永遠運動とで、「同じ」になるのである。

## @真理運動と図6

無限・絶対なものに復帰されたもの―魂は図5・図5a・図9・図19のように表される。この図は、内部が解るように、球体が透けた図になっている。ここで、「見つけまし

た、魂を」で〝核〟は世界ではありません、と言ったが、この書ではそれを、改めたい。要するに、核も世界なのである。であるから、復帰した〝もの〟は、図5・図5α・図9・図19なのである。魂・世界なのである。この段落での表すことは、図5・図5α・図9・図19から図6になる—〝魂〟が消える！ということである。無限になった〝階層的地層図の世界〟は、各々の名詞、座標軸を無くしてしまう。そして、各々は、核の流れ（サイクル）と即によって、同じになる。一つになるのである。が、「見つけました、魂を」の図4以降の論理哲学からこの書の、図15α以降の論理哲学から解るように、一つになった無限は、日頃認識領域では理解できない—絶対領域でのことであり、無限で、日頃認識領域では、論理が対立しているから（絶対領域では対立しているが、論理上丸く、無限の真の論理なのである、そして、日頃認識領域では実在しないのである）、日頃認識領域では見ないのである。よって、図6が成立する。だが、図6は、片方の真理運動の即、だけだが、図6では、あらゆる無限が、無限の論理上、日頃認識では普通、見えない—消えていることを、主張している図である（図5は図5α・図9・図19に移行する図である）。図6は、片方の真理運動を対象としているが。図6が、この書で登場する時は、双方ではなく、片方の即の真理運動とする。

この図6は、図5に、「見つけました、魂を」での、日頃認識領域で描かれたものであり、描かれたものが、消えるのである。それは、無限の論理故、ということと「見つけました、魂を」やこの書の方法をしていないでいるからなのだ。—描かれていようがいまいが、それらの存在は、無限・絶対領域に、あり続けるのである。そして、真理運動をし続けるのである。

前記で図5・図5α・図9・図19で「同じになる。一つになるのである。」と言った。それは、同じになる、一つになる、というなる運動は、即の永遠運動とサイクルの永遠運動がある。どちらも、核の出現（サイクルの永遠運動では神秘体験での〝ある〟という発見）により、同時に満たされるように、なった。（神秘体験は、中心核に同一になる無限の論理であったが）。それは、最外核に内部核が同じに成る・内部核に最外核が同じに成る、そして、対立したままである、ということが。それも、即の永遠運動でサイクルの永遠運動である。―その即現象の成りようは「見つけました、魂を」でもこの書でも、見えないものである。その〝即の永遠運動〟と〝流れるような核のサイクル運動〟があるのだ。サイクル運動は、外部核が内部核に同じになる。そのように、だから、外側から内部へと流れるように同じ―無限階層的地層図の名称・囲いがなくなったものも、最外のものが、そこと同じ、だから、それぞれのものと同じになることにより、その現象は、最外から、核が登場するのであり、登場した最外の核が動き、その核とそれぞれが同じになることである。最後に、最大（最大・最小）を維持していながら、最小（最小・最人）（中心核）・内部に同じになるのである。そして、最外の核は始めのところから真理運動を始めている。同じになると、即、対立したままなのである。―同じになることは、対立したまま、同一になっているのである。そうした一連のことでも、図5・図5α・図9・図19は無限故、無限の論理故、にそのまま、あり続けるのである。最小（最小・最大）・内部と同じに成ったと同時にその核は消え、即、最外に核が現れ、同じことを繰り返す。最も小さいものから、核が現れる場合は、果てのない最大と同じになる。最も小さい、を維持していながら、一つの最大になるのである。内部核（最大・最小）が最大（最大・最小）・最外に向け、流れるように、無限階層的地層図が名称・囲いなどなくなり、内部核・最小（最小・最大）がそれぞれと同じになり、最大（最大・最小）・最外と同じになるのであり、目的に達するのである。同一になるのである。そして、対立したままである。このような反対の流れが、満たされているのである。そして、同じに成ったと同時に同じになった核は消え、同時に内部に核が現れ、同じことを繰り返す。この二方向の核運動が同時に、行われている。（核が、大きさ的に変化していようが、最大（最大・最小）・最外を、最小（最小・最大）・中心点を、維持したままであるのである）。即の永遠運動の場合、これらを、即にやってしまうのである。最大と最小、最小と最大、が同じになる。そして対立したままである。それと、図5・図5α・図9・図19のことだが、無限であるから、同じにならなくとも、図5・図5α・図9・図19も消えているのである。というのは間違いで、即、日頃認識の図で描かれているのである。

## @三角こじ開けに、こだわり過ぎかもしれないが

（図4・図15αは、こじ開け、無限階層的地層図がこじ開けられる前の元の場に復帰す

る一連の図である)。その意味を表す図4・図15αなのである)。

「見つけました、魂を」やこの書では、図4・図15αの三角が、図4以降の論理哲学を通して、図15α以降の論理哲学を通して、図5・図5α・図9・図19の球体を導かせた。だが、図4以降の論理哲学にて図15α以降の論理哲学にて言っているように、「最大が最小で、最小が最大になり、……」であり、図5・図5α・図9・図19の中心核は、中心核であり最も外の核である。最も外の核は、最も外の核であり、中心核である。(図19参照(対立したものが、同一であり、対立したまま、を表した図。(その観点からは、図9・図5αも同じであるが。図5は図5α・図9・図19に移行する図である))。それを図4で言うと、上の核を最大に—無限にこじ開けたところから下の核にこじ開けた∞の両端に線を下ろし出来る空白の二つの三角が図4のこじ開けられた領域と同じ三角に相当することを理解—気付いて欲しい。(図15α参照)。図4でのこじ開けは、最小—中心核が=下の核に、最大—最も外の核が上の核になるのである。そこの図4での空白も図13・図11があらわしているように、無限階層的地層図があるのである。それは、図15αである。図15αのこじ開けにて、無限に達した時に—完全こじ開けにて、図5・図5α・図9・図19と変わらぬ、無限階層的地層図が、三角形と逆三角形を合わせた四角—世界として復帰するのである。このように、無限階層的地層図が復帰した、この一連のことが、図4・図15αである。図5・図5α・図9・図19のこじ開け、復帰を、図4・図15αで表すと、こうなるのだ。

そして、図15αにて、こじ開けられ、その三角と逆三角を合わせた四角―世界に、階層的地層図が無限として復帰する。「見つけました、魂を」やこの書では、図4・図15αがその以降の、こじ開ける世界、そして、復帰したもの―無限階層的地層図、図4・図15α以降の論理哲学にて、図5・図5α・図9・図19になった。その球体が、図5・図5α・図9・図19である。無限の球体なのだ。そして、一つになる経路を辿り、「見つけました、魂を」やこの書で日頃認識領域での描かれた、図5・図5α・図9・図19は、内核と外核が、それぞれ互いに、同一なのである。こうして図13・図11は図4、いや、勿論、図15αも、であるが、その図4・図15αにて、無限階層的地層図が全てこじ開けられた。でもこれは、三角にこじ開けられた結果の対立する双方の三角の相互の結果であって、こじ開けが無限になった、瞬間の無意識の出来事であるが、三角のこじ開け現象が揺らぐことはないのである。三角こじ開けにて、完全全開を満たすのである。要するに、上の核を無限にこじ開けた時、即にて、下の核を、無限にこじ開けた時に、三角の広がりは階層的地層図が全てこじ開けられるのである。この、こじ開けにて、実は、完全こじ開けが、満たされるのである。図15αの、この二つの三角のこのような展開で全ての階層的地層図は全開されるのである。これが、無限の（三角こじ開けによる、）階層的地層図の全開なのである。それから、無限階層的地層図が復帰する。無限が、元の本来の場に、即、復帰する。即、方法である、日頃認識的図が描かれるのである。それは、四角の無限階層的地層図である。その一連の出来事は、だから、即の永遠、である。

が、しかし、その双方の三角こじ開けによる全開は、広がりは、図15αの三角で、その図15αの三角の無限階層的地層図を球体で表した図が、図5・図5α・図9・図19であり（図14参照）、その球体で展開される（しかし、この正式には、図4・図15α以降の論理哲学にて、展開され、導かれるものである）。図5・図5α・図9・図19は、無限の球体であり、故に、図5・図5α・図9・図19、世界は〝絶対領域〟を保持しているのである。絶対領域としてしか、こじ開け―魂を探すことはできないのである（魂は、絶対領域であるからである）。ある意味、図5・図5α・図9・図19は三角が複重した世界である。図4を振り返れば、図4・図15αは、「見つけました、魂を」やこの書の論理展開において、導き出されたものであり、おそらく、上の核を最大（だから、無限）にこじ開ける。前置き的な論においてその後の、〝絶対領域〟という観点からの図11における無限の縦支配に繋がる。図2から、相対領域での上の核のこじ開けの逆三角の頂点が、下の核に達した時、下の核は、切り込みが点であることを、保ちながら下に伸びて行き、最終的に、限界なしの上の核の無限こじ開けがなされる。だから、相対領域から、無限・絶対領域に達する。その相対領域から、無限・絶対領域に達する、無意識的瞬間の、図4・図15αは、三角の形状となっていると、理解されるのである。〝理解される〟とは、無限階層的地層図の完全全開こじ開けが三角こじ開けを通して、実現できるからである。この書では、三角こじ開けで、無限階層的地層図が全開になるのである。だから、図15αも同じである。双方の三角形状を満たすのである。この「見つけました、魂を」やこの書での図4・図15α

は、縦横の展開は、無限を理解していない、展開になっているかもしれない。が、「見つけました、魂を」では、論の全般を貫く〝日頃認識的〟表現での魂や世界の理解の仕方（「見つけました、魂を」やこの書では、魂＝（無限）世界である。要するに、極論すると世界は魂から成る。世界は無限なのだ、と。）、図4―図15αの無限こじ開けはそれぞれ、無限こじ開けの全開である。それは、三角形を形成する、完全全開こじ開け、から成るのである。そして、こじ開けられた、元の場に復帰するのである

## @無限世界が魂である

前段落論は、図4・図15αの三角の二つを無限階層的地層図の完全こじ開けにて、無限階層的地層図の復帰の展開まで満たすものであり、図5・図5α・図9・図19において は、二つの対立する球体が同時存在することを表すもの（この「二つの球体が同時存在する」という事柄は、図4以降の論理哲学にて、図15α以降の論理哲学にて、言っているように、「最大が最小で、最小が最大になり、……」であり、互いが対立するものが、一つになることを意味し、対立したままであるから、図5・図5α・図9・図19は対立したものが無限の論理をする意味の一つの球体である。これは、日頃認識の図で対立するものが、同一で、対立したまま、を完全に満たすことが出来なかったのである）、と言えよう。―図4・図15α・図5・図5α・図9・図19で無限階層的地層世界の全てが、完全全開のこじ開けにて、復帰されるのである。無限世界、それが、魂なのである。

## @即の出来事を、論理・論述で

そもそも、図4にて、「見つめました、魂を」で語っている、「人間は無意識のうちに、魂を探している」や「その思いは世界をこじ開ける、」は、こじ開けを即に無限回することであり、「見つけました、魂を」でもこの書でも、「人間は無意識のうちに魂を探している」ことは、〝真〟なり、ということになる。事実、図4、図15αでも図5・図5α・図9・図19でも、こじ開けは、即の永遠にこじ開けることに、なっているのである。このこじ開けは、「人間は無意識のうちに魂を探している」ことの〝動作〟である。この動作が、即の永遠に無限回されるのである。図5・図5α・図9・図19は、即の永遠運動にこじ開けられ、同時に、無限階層的地層図の球体にて、復帰される。これらが、即に永遠にだから、即に永遠に魂はあり続けるのだ。

## @図5・図5α・図9・図19をもう一度みる

図5・図5α・図9・図19は、図4・図15αからと、「見つけました、魂を」この書の図4以降の、図15α以降の、論理哲学からも導かれた球体の図である。無限階層的地層図が透けて見えるのは、同じになる・一つに成ることを理解しやすくする、為のものでもある。そして、前論を最終的に満たすのは、図19であるが、ここでの図5、図5α・図9・図19は、上下の核が一つになった、そして、対立したままの、核を無限に即の永遠にこじ開けた、それでもって、復帰された球体の図なのである（図5α参照）。

片方の同一のあり方で消えた（図6が出てきた時は、片方の同一だけにしてある、設定にしてある）、図6にて、消えた図5・図5α・図9・図19は、無限であり、日頃認識的図で言えば、見えない図5・図5α・図9・図19を残している。図6以外は、図5・図5α・図9・図19を日頃認識で即、描いているのである。

## @魂はあるのか!?

魂はあるのか？　無限階層的地層図―魂は日頃認識領域から図4から図6にかけての論理から解るように、消えているのである。魂は、無いのではない。ただ、日頃認識領域から消えているに過ぎないのである。実は、存在しているのである。そう、絶対領域にて無限ものとして存在しているのである。

## @言葉足らず!?

図7の下の論述である、「同じになり、だから、一つになることは、消えることを意味します。」と、これは、図4以降の無限についての話が、続きをなしていたのであり、だから、「対立するものが、同じになり、だから、一つになること、そして、対立したまま、ということは、日頃認識から、消えることを意味します。」となる訳である。

## @図7の魂について

論述を戻し、「同じなり、だから、一つになることは、消えることを意味します。日頃認識領域で考えると（前述の考えも認識領域の影響を逃れられないのですが）、実はこうなんです（図7参照）。」で図7の図は無限有体—魂である。続いて、こう述べている。「核は魂ではありません。魂の器—無限無体です。日頃認識領域では、無限有体—魂を表現するには、図7のようになる、ということです。」と。図7は、図5・図5α・図9・図19から真理運動の動きの途中で、成ることは理解できよう（、が、核がないが）。（真理運動—最も外（層）が最も内（層）と同じになる）。ただ、この書では、核も魂に含まれるのであり、中心が開いているが、核が外輪核と中心核で一つになり、核が、中心に位置するのである（図7α参照）。絵的に理解するとこうなる訳だ。「核は魂ではありません。このことは、3.……」内を読むと、ことに反するではないか！　と言われるだろう。このことは、「見つけました、魂を」の「無」「有」テイストの部分で述べておきたい。

## @図7と図5・図5α・図19・図9の、魂であること

図7は魂の図である。いや、見える、見えない、との、正式には日頃認識領域において消えているものであり、日頃認識の図にて示してあるが、この図のように有るのではない。それを、忘れてはいけない。だが、魂を知りたい、見たい、という思いから〝こうである〟と導き出したものである。この図は、球体の内部の透けている、図である。このこ

とを「見つけました、魂を」でここの箇所で付け加えておけば、今思えば、そう付け加えたかったことである。そして、ここで言う、魂は、図5・図5α・図9・図19の運動―展開である、核抜き図7のように、人間・地球・宇宙、だけではなく、図5・図5α・図9・図19のように、核・人間・地球・宇宙・宇宙・地球・人間・核、と表記してもいいのである（少なくとも図5・図5α・図9・図19は、核・人間・∞・地球・∞・宇宙・∞・宇宙・∞・地球・∞・人間・核、のように、∞がどこの間にも入り込む、とも言えるが、というか、各層自体が無限なのである）。この書で言いたいことは、図5・図5α・図9・図19も魂だ。いや、図5・図5α・図9・図19が魂に相応しい。と言いたいのである。と言って、図7は魂ではない。と言いたいのではない。図7も魂なのだ。図7を表記するに当たって、幾重にも、だから、〝無限〟を伝えたいために、今考えれば、意味ないが、同じ人間・地球・宇宙、は図5で、中心・最も外輪（最も内・最も外）が人間・地球・宇宙が、それぞれ、一つに、図7は、同じにされてあるのである。―無限の論理になっているのである。

図5α・図9・図19は、対立するものが、各層にて、核にて〝無限の論理が成立している〟このことは、二つの対立する球体が、同一になっており、対立したままなのである。図5は、図5α・図9・図19に移行する図である。

と「見つけました、魂を」を創った後も、図7が魂であると、このような考えであった。右の論述、図7と異なることは、〝@図7の魂について〟で言っているように、3.

「見つけました、魂を」の「無」「有」テイストの部分で述べておきたいが、核抜きではないのである。ということだ（図7α参照）。

## @魂に相応しいのは？

26歳の頃、恋愛に疲れ果て廃人的になっていた私が感じた、胸の辺りに強く存在を、なお且つ堂々として、力強く、感じ取れたそのものが、見えないけれども、確かに胸の辺りに存在した。図で表すと、今、思うに、相応しいのは、図5・図5α・図9・図19の球体なのである。（いま、解答付けられ、表すには）もしかして、私が感じた〝問い〟、それは、この時に不思議に感じた胸の辺りに存在するもの―魂、だったのかもしれない。「こんなに有り有りしながら、なぜ見えないのか！　と」そう、思ったかもしれない。だから、「見つけました、魂を」が創られたのかもしれない。謙虚に言ったが、そうなのである。この問いが、「見つけました、魂を」の問いなのだ。私のために、私よ、ありがとう。と「見つけました、魂を」で図7を、魂として迎えているが、今回図5・図5α・図9・図19を、も、魂にしたいのである。今では、図5・図5α・図9・図19の方が魂であると思えるのである。勿論、図5の変化したものである、図7・図7αも魂としてもいいのだが、ここで私が言いたいのは、図5・図5α・図9・図19が魂に相応しい、と述べたいのである。図5・図5α・図9・図19・図7・図7αは、無限であり、その存在を真理運動にて、残し続けているのであるから、どの図を魂にするか？　と思うのはナンセンスかもしれないが。

@図5・図5α・図9・図19・図7・図7α、は無限であり、あり続ける

と余談まで交え、とても聞き苦しいことを言ったが、と思うのだが、話を―論を元に戻したい。「見つけました、魂を」の語りの抜粋を一段落飛ばしたが、その段に論述したい。「同じ」になりましたね。プリントミスではありません。消えているのです。私が言いたいことは、人間・地球・宇宙、―まとめたもの無限有体―魂は、無限であり核と同じになる、ということです。そして、図5のすべても）。そして、立体的に考えると、世界は、核（中心―入口）から核（外輪―出口）へ、日頃の認識領域（図5の運動で図7ができた時の空白のところ）へと出現するのです。」とある。図4の図以降の無限についての論述から「（……図6参照）」を経て、〝同じ〟になることが立証され、一つになり、対立したままである。それはけれども、日頃認識領域で〝解らない〟故に〝消えている〟と図6で示された（図5・図5α・図9・図19でも、無限故に、既に、消えているが、即に永遠に、日頃認識の図で描いてある―「見つけました、魂を」では、図5は、図に描いているのは、私の26歳の時の体験で、見えるものであると無意識に感じていたものである。そして、「見つけました、魂を」やこの書での方法なのである。この書では、「見つけました、魂を」の図5は、真理運動をして、図6では消えるものである。無限の論理から。その点から言うと、図5が

同じになり、図6のように消えることとは、図6の意味において、正しいと言える。（図5は、不完全な図で、無限の論理になっておらず、即、図6になった図6は無限の論理なのである）。その後の、これは論述である、〝消える〟ことが理解してもらえただろうか？と「「同じ」になりましたね。プリントミスではありません。消えているのです。」と書き示している。「―まとめたもの無限有体―魂は、無限であり核と同じになる、ということです。」は、前段落で前記したが、核が魂と異なることを間接的に言っていることであり、しかし、体がない、という点で同じではないと言っているに過ぎない。核も階層的地層図であり、魂なのだ。そして、「日頃の認識領域（図5の運動で図7ができた時の空白のところ）へと出現するのです。」は、図7・図7αができた時の空白のところ、とは、図7・図7αが出来たとしても、図5・図5α・図9・図19はなくならないのであり、空白など出来ないのである。「見つけました、魂を」では、図8において、立体―日頃認識と無限の混乱がみられる。神秘体験はあるが、無から創ったものであり、こんな私としては、〝致し方ないことである〟とお許し願いたい。この書でも、今は解らないが、欠点だらけと思われる。お許し願いたい。（「見つけました、魂を」では、無限の産物を、図8において、混乱した、立体的に思考したり、無限で思考したりが、見受けられるのである、立体的に考えても勿論いいが、図5・図5α・図9・図19などをなくしては、おかしい）。

でも、双方―図7・図7α。魂（有）と核（無）は〝無限であり、（図4以降の論理哲学での〝「解らない」〟である）解らないもの（対立したものが、同一で、対立したままであるから—無限の論理）〃故に〃同じになり、一つになり、対立したままであり、図6においておいて、消える（もう、無限故に、消えているが、方法である、日頃認識で描かれたものが、消えるのである。図5は、日頃認識領域にて描かれた、図であるため、論理展開において、同じになり、一つになり、そして、対立したままであり、そのこと—その現象が、図6においては、消えているのである（図7は（中心核・外核）核がないため、図6の一つにはならない、最小にならない）。）〃のである。勿論、図7αでいくと、魂内部の人間（内・外）・地球（内・外）・宇宙（内・外）、の層も名称が消え、各層が同じになる。核（無）も魂（有）も、魂内部も、全てが同時に〃同じ〃になるのである。勿論、対立したままだ（この、対立したままとは、図5を表している）（図7α参照）。これ以後の〃一つになり〃解らない（対立したものが、同一で、対立したままであるから—無限の論理）〃ことで図6において、（「見つけました、魂を」やこの書では、図6で無限の論理は、消える—見えない、を主張するため、描かれておらず）消える〃ことは言うまでもない。「（無限だから、無限有体—魂は、図7のようにそこにあり続けるのです。そして、図5のすべても）。」とあるが、図5・図5α・図9・図19から明確になった真理図は、無限であり、図5・図5α・図9・図19の図6（外核が内核（中心核）に同一になる）において、（「見つけました、魂を」は、図6で無限の論理は、消える—見えない、を主張するため、描かれておらず）消える—一つになる運動は、その過程が全て同時に展開されるものである。図8で図7αでの人間・地球・宇宙・核の一瞬で起きている過程も、その他の図5の例えば、人間層（内）・人間層（外）の一部が同じになっているだけの図など、図5・図5α・図9・図19から内核と外核が、それぞれ互いに、同一に至る全ての過程は、全てあり続けるのである。あり続けることは、だって、〝無限〟だからである。図7になり核と同じに成るということを記した、「見つけました、魂を」であるが、今回この書では、図5・図5α・図9・図19の名詞・座標軸（無限だから、はじめからないが）がなくなり、外核が内核に流れるように、全てが同じになる。そして、その逆、内核が流れるように外核に、全てが同じになる。両者は同時に、起こっている。「見つけました、魂を」での図5の同じになるやり方ではなく、ここでの同じになるなり方を、押したい。このサイクルの永遠運動と、即の永遠運動とで〝同じになる〟ということは、〝そして、対立したままである〟ことが、なされているのである。言わずと知れた、対立したままであるし（最大（最大・最小）と最小（最小・最大）の無限の論理—真理運動から）、だから、図5・図5α・図9・図19はその場に、残り続けるのである。

## @図8について

これから、「見つけました、魂を」の論述は、図8の理解展開に入ることになる。それが、「そして、立体的に考えると、世界は、核（中心—入口）から核（外輪—出口）へ、日頃の認識領域（図5の運動で図7ができた時の空白のところ）へと出現するのです。」である。この論述は、外核が、内核に同じになるような運動である。ここでの、「世界は」

は、〝魂は〟に置き換えていい。だから、「魂は、核（中心―入口）から核（外輪―出口）へ、日頃の認識領域（図5の運動で図7ができた時の空白のところ）へと出現するのです。」という展開になる。図4以降の論理哲学から導き出される、核（中心―入口）から核（外輪―出口）へ、相対・有限領域が出現すると、理解されるのである。もし、内核が外核に同じになる運動であるなら（ここでの論述は、外核が内核に同じに、とか、内核が外核に同じに、とか、分けて論述しているが、そうではない。たぶん読者の方も理解されているだろうが、これらの真理図は、起こりうる〝同じに一つになる〟ことの運動は、全て同時に行われているのである）、だから、外核が内核に同じになる、図5・図5α・図9・図19の運動、内核が外核に同じになる、図5・図5α・図9・図19の運動、これらは、同時に起こり得る、サイクルの永遠運動、即の永遠運動であるのだ。サイクルの永遠運動・即の永遠運動、そのことが行われており、別々の核が違う、対立するものに、同じになっているのである。そして、右記のように、相対・有限領域が出現するのである。そして、内核が外核に同じになっている、場合は、核（外輪―入口）から核（内輪―出口）へと、出現するのである。

それから、「そして、立体的に考えると、世界は、核（中心―入口）から核（外輪―出口）へ、日頃の認識領域（図5の運動で図7ができた時の空白のところ）へと出現するのです。」とあるが、「（図5の運動で図7ができた時の空白のところ）へ」は、〝無限〟という観点からこの論述を理解するにはおかしなことになる。というのは、図7の魂が形成されても、空白の所には、階層的地層図の無限なるものがあり続けてあるはずである。図5・図5α・図9・図19である。―ということは、図5・図5α・図9・図19があり続けることである。最大・最小と最小・最大の同一であり、対立したままとしても。その観点からおかしいのである。でもまあ、私が私を弁解するならば、「そして、立体的に考えると、」と述べているのであり、何よりも、図8において、立体化した真理図を思い描いた「見つけました、魂を」の魂の図が、〝空白〟を理解させた―導き出した、と理解されるのである。ということで、この見解もあり？　真偽を問うことをこのような触りだけにしておこう。と言うか、図8において、図5を立体的に考えると、このことは、間違いのないことである。図7を採用し、空白のところに、相対・有限領域が出現する、ことは間違えではないのである。ただ、それが、全てではない。ということなのである。と生ぬるいことを言ったが、図5から図7が出来、空白のところ、という理解は、間違いである。「見つけました、魂を」では、図8にて、無限を、立体的にとか、無限故に、とか、が見受けられる。それ、自体は、いいのだけど。図8において立体的に考えてもいいが、図5・図5α・図9・図19などを消してはならない。それから、図5・図5α・図9・図19も、図5・図5α・図9・図19で同じになる現象は常に残るのである。無限だから。最大・最小と最小・最大が同一であり、対立したままなのだから。図7・図7αなどが、あり続けているのであるが、今言った、図5・図5α・図9・図19などを消してはおかしい。だから、この書では、ここの、図8での、そして、「見つけました、魂を」でのこの論述である〝立体的に考えると〟—図7が、出来た時の空白のところである、は、採用しないことにする。

## @図8と図5・図5α・図9・図19と核

そう、全てではなく、ここでの何種類もの理解の仕方があるが、基本は、図5・図5α・図9・図19が図8・図8αを表し、ということは、図5・図5α・図9・図19が図8・図8αにあり続け、真理運動—外核が他のものと一緒に流れるように同じになって行く。他の（図5・図5α・図9・図19にあるもの）ものもそれに同じについて行く。目的地は中心核である。球体の図5・図5α・図9・図19と同じ様に、中心核と同じ一つになる。それから、同時に、即の永遠運動で外核は内核に同じになっている。（そして、中心核の外側から図5・図5α・図9・図19の無限—魂は、中心核に入り、図8の最外核の内側から、変換された、相対・有限領域が出現する。その、相対・有限領域の出現は、こうである。それは、絶対・無限を対立する、相対・有限に変換するが、絶対は相対に変換される。しかし、無限は無限全体を有限に変換しても、無限は全体を取り除いても、全体が残るのであり、相対・有限領域には、相対・有限と相対に相対・無限が出現するのである）。

核があることから、無限の最大（最大・最小）は維持されながら、流れるように中心核へ同じに—変換の入り口に入る同一を得（対立したままである、図5・図5α・図9・図

19であり）、中心核の外側に入り、最外核の内側から、右のような現象が出現する訳である。そして、図9から解るように、核の運動は、外核から中心核に同じになるだけではない。中心核を核が維持したまま、外核へ流れるように、同じになるのである（そして、対立したままの図5・図5a・図9・図19の中心核である）。このとき、外核の内側からの入口なら、中心核は、相対・有限領域を核の外側から出す―出現するのである。この双方が、同時になされるのである。と同時に、この双方の、即の永遠運動が為されているのである。このことは、即の永遠の運動とサイクルの永遠の運動とで、なされているということなのだ。

## @真理図について

「（無限だから、無限有体―魂は、図7のようにそこにあり続けるのです。そして、図5のすべても）。そして、立体的に考えると、世界は、核（中心―入口）から核（外輪―出口）へ、日頃の認識領域（図5の運動で図7ができた時の空白のところ）へと出現するのです。」前に触れるに、今回も中心核へ魂が集結する、という形式だが、前段で説明してあるが、別に外核に集結する（入口に成る）でもいいのである。出口が中心核になるだけの関係である。事実両方の出現で相対・有限領域を出現しているのである。両方で同時に、相対・有限領域の変換が、出現が、行われているのである。それと、無限は常にあり続ける、と言ったが、図5・図5a・図9・図19の状態で相対・有限領域は、魂（図5・

図5α・図9・図19）とどこにも触れることなく――接点がなく図5・図5α・図9・図19、と同じ場にあり、世界の真理図であり続けるのである。よって、外核が中心核に、中心核が外核に。勿論図5・図5α・図9・図19の内部も上記の方向の動きと、同じことである。要するに、核が流れるように、核を用いて、対立するものが、同一になり、前行と同じく中心核や外核へ向かうのである。勿論、即の永遠運動をしていることは、言うまでもない。そして、核が、最大・最小（外核）・最小・最大（中心核）のそれぞれのものを、維持し目的に向かうのである。同じになるのである。だから、即、対立しているのである。

図8αを図5・図5α・図9・図19を見てもらうと解るように、同じもの、なのである。出現した相対・有限領域と同じ場だが、何の接点もなく、図5・図5α・図9・図19は、あり続けている、という図なのである。図7の空いたところに、相対・有限領域が出来るのではない。と言ったが、図7も、無限であり、あり続けるが、空いた部分に――これは、無限の図5・図5α・図9・図19があり続けているのである。だから、前記の「 」内のような、図7の空いた所には、こんな理由で、相対・有限領域は出現しないのである。図5・図5α・図9・図19の、図8・図8αの、場の全体――核内に相対・有限領域は出現するのである。

@魂は相対有限領域から、どのように、変換されるのか？

それは、「見つけました、魂を」やこの書のように、変換―発見されるのである。図8αは、それを、核を通して、瞬時―即に変換を行うのである。だが、魂は、無限なものであり、相対・有限領域から変換されても、増えも減りもしなく、そこにあり続けるのであるが。

相対・有限領域は、〈有限〉で絶対・無限へ変換される。真理運動は、対立するものを、生み―変換するのである。これでも、変換されるのである。

@図8・図8αと図5・図5α・図9・図19

「ではここで、次ページの日頃認識領域の出現の図を理解してもらいましょう（図8参照）。日頃認識領域は、核（外輪）が核（中心）と同じになり、魂が核から変換され、魂を土台にして出現したものです。そして、日頃認識領域は、（煙みたいなものが）その時の価値体系に支配され、出現したものです。実は、核は日頃認識領域と無限を繋ぐものだったんです。こうやって、日頃認識領域は生成されるのです。これは、〇秒間の運動、〇秒毎になされる運動なのです。そして、無限だから、図5はあり続けるのです。」の語りについては、「見つけました、魂を」を重んじる。（核の動きが片方的だが）このままでもいいが、あることを記したい。

それは、図8αと、図5・図5α・図9・図19のこじ開けた図と同じ図である。図8α

の運動が、図5・図5α・図9・図19の同じになる、一つになる、運動と同じなのだ。一つになり、そして、対立したまま。図8α・図5・図5α・図9・図19であることは、言うまでもない。それと、図5・図5α・図9・図19のこじ開けが、無限に達し、球体が復帰することと、図8αにおいて相対・有限領域が出現する、ことは、同じなのである。なぜならば、図5・図5α・図9・図19において、こじ開けが無限に達したならば、無限故、実のところ、世界が魂であり、魂―無限である。無限であることから、無限の論理で、絶対であり、相対である。絶対と相対が復帰するのである。絶対は無限の図5・図5α・図9・図19であり、相対も図5・図5α・図9・図19に現われているのであり、相対・有限領域として登場したものなのである。

出現するのは、相対・有限領域である。そう、変換されるのだが、相対・有限について言うと、全体としては無限の広がりを、内部・外部に、満たしているのである。どこまでも、在り続けるのである。故に、全体として、無限と言える。だから、相対・有限、相対・無限、それら、相対・有限領域は、真理図にあり続け、真理運動にて、変化し続けるのである。今までは、図5・図5α・図9・図19をこじ開け、復帰したならば、無限・絶対のものがなされる、ことを言ってきたが、それは、図5・図5α・図9・図19のこじ開けから、魂が現れる。(正式の魂―無限を、理解するなら、もう既に表れている。いや、現われてもいないし消えもしない。のである)。無限・絶対なもの―魂を強調させたかったのである。それ故、相対の出現は言及しなかったのである。

こじ開けによって無くなるが、復帰することと、それは〝即〟のことであり、あり続けるのである。そして、相対・有限領域も、図5・図5α・図9・図19にてあり続ける―変化し続けるのである。相対・有限領域は、相対・有限と相対・無限があるのである。その相対・有限領域は、図8αの内部、いや、外核からの内部の同等になるのであり、図5・図5α・図9・図19―魂と同じ場になるのである。が、魂は絶対・無限であり、相対・有限領域と何の接点もない関係で同じ場にあるのである。魂の核から―図5・図5α・図9・図19の、図の不動の対立した核から、相対・有限領域は、出現するのである。だが、よく考えると、図8αにて、相対・有限領域が、図5・図5α・図9・図19にて、相対・有限領域が出現することは、同じことである。要するに、図8αと図5・図5α・図9・図19は、同じものなのである。これらが同じ図であり―世界なのである。

話は前後するが、図5・図5α・図9・図19のこじ開けによって、相対・有限領域が登場する。同じことが、図8の内部、ではない同等に図5・図5α・図9・図19の真理図が、当てはまるのである。そして、図8αは、同じになる、中心核にも、外核にも、一つになるのである。対立したまま、ということは、言うまでもない。対立したまま、同一だからである。その時、図5・図5α・図9・図19と同じ様に、絶対で無限な真理図―魂が現れ（現れる、ということは、厳密にはおかしいのであるが（永遠だから））、そして、相対・有限領域が即の永遠運動とサイクル永遠運動、とで、図8αが同じになるという運動で、現れ真理運動で、変化し続けるのである。図8αは勿論、無限である。同じになる運動が成されようが、図5・図5α・図9・図19と同じ球体の、始めの状態は維持したままである。この図5・図5α・図9・図19のこじ開けと、図8αが同じであることを言ったが、そして、図5・図5α・図9・図19の真理運動も同じことをもたらす、と薄らと言ったが、次の段では、こじ開けだけではない、図8αと同じになることは、を、言っている。

よくよく考えると、図5・図5α・図9・図19の即の永遠運動とサイクル運動でも、図8αと同じであり、同じ運動なのである。真理運動、図5・図5α・図9・図19の右の運動で、相対・有限領域は出現するのである。出現する事の経緯は、図5・図5α・図9・図19のこじ開けと同じである。図8αと図5・図5α・図9・図19の外核・内核から出現するのである。要するに、図8αは、真理運動の図5・図5α・図9・図19とも、同じということになる。図5・図5α・図9・図19のこじ開けと、図5・図5α・図9・図19の即の永遠運動とサイクル運動でも、どちらを採用しても構わないが、図8αと同じになるのである。

## @最終的に

「そして、日頃認識領域は、（煙みたいなものが）その時の価値体系に支配され、出現したものです。実は、核は日頃認識領域と無限を繋ぐものだったんです。こうやって、日頃認識領域は生成されるのです。これは、○秒間の運動、○秒毎になされる運動なのです。」

○秒間の運動―即の永遠運動であり、永遠のサイクル運動でも、ことが行われるのである。ここでの（「　」内の）〝日頃認識領域〟は、相対・有限領域と改めたい。そして、述べた、永遠のサイクル運動もされているのである。後は、抜粋の通りそれを、重んじる。

## @こじ開けと「見つけました、魂を」の欲求

図5・図5α・図9・図19の〝こじ開ける〟とは、最大にだから、無限にこじ開ける、ことによって、〝こじ開け〟は無限に成った。そのことにより、〝無限〟ということで常にあり続け、満たし続け、そのこじ開けが、〝即の永遠運動〟なのである。図8αと同様、即で永遠、になされるのである。私は、2.「見つけました、魂を」を再び考えて、での前半論述で「興味のない方は「見つけました、魂を」やこの書を読んで頂けなくてもいい！」となげうったが、実は、〝こじ開ける〟ことは、必然なものであったことを、ここで論述しておく。そう、即であるから、「で、世界が解ったところで、私はこう切り出します。人間は無意識のうちに、魂を探している」は必須ものであり、その思いは、核をこじ開ける―図4・図15αでも図5・図5α・図9・図19でも即で永遠にこじ開けられ続けるのである。だから、その思いは即に永遠に欲せられる、これが、「見つけました、魂を」の欲求なのである。そのことが、証明されたのである。

それと、相対・有限領域も〝核〟が付き（外側に、内側に）―と言うか、そのように、図8αから満たされるのである―、真理図―図5・図5α・図9・図19と同じ場に、相

対・有限領域は実在するのである。このように、図8・図8αと図5・図5α・図9・図19を考えてきたが、双方は、同じものであることに、気付くのである。ただ、中盤、魂を言い表したいがため、図5・図5α・図9・図19は、相対・有限領域のことを言わなかった。が、終盤で、その真相を図5・図5α・図9・図19にて、明かすことにより、図8αと同じものであることが、理解できたのである。こじ開けだけではなく、図5・図5α・図9・図19の真理運動（即の永遠運動・サイクルの永遠運動）にでも、同じなのである。であるからに、と言うか、右の抜粋の〝即〟運動だけ、取り上げているが、同一に成るべく、中心核に・外核に、それぞれ向かい流れるような、サイクル運動もなされているのである。ここでも、対立するもの（最大・最小と最小・最大）が同一であり、対立したまま、ということは言うまでもない。

## @「見つけました、魂を」の右の抜粋以降から最後まで

右以降の「見つけました、魂を」のことは今回、重んじ、そのままにしておく。

## @あれこれ述べたが、令和元年7月15日、夕方、体感について

ああ、やっと、というか、もう出来る期間を得たのかもしれないが、体感できた。最大と最小のことである。だから、無限大と無限小のことである。

体感するには、どうする、とか、色々述べたが、今回体感したのは、右往左往しなが

ら、結局は、結論から入った。だから、無限大を想像したのだ。限りなく半径、直径が伸びていく。この行いは永遠である。私が違うことを考えても、伸び続けている。いつしか、宇宙空間を超える大きさになる。世界一なのだ、と。それから、まだまだ、宇宙空間からすると小さいが、凄い速度で広がっている。止まらない。終いには、足踏み状態になる、広がりの無限かもしれない。しかし、最大になって、足踏み状態になろうと、この速度は、広がりは止まりはしない。永遠に半径、直径は、伸び続ける。そうしている、考えている間に、前頭葉に適度な緊張感と、豊かな思考空間が前頭葉にできた。囲いは勿論ない。あ、これが、小学生の時に味わった、体感なんだ?! と、思ったが、なぜか、それほど、喜ばなかった。そして、最小―無限小を想像した。点を頭のどこかに置き、見えないがこの世界に、一番小さいものがある。と思い今回も集中した。そうすると、最大―無限大・最小―無限小は、同じ体感であったのである。

これで、私は、喜ばなかった。というのは、この体感は、集中したから、しているから、この体感を得ているのでは、なかろうか、と懐疑したのである。もし、そうなら、集中力の産物なら、最大―無限大と最小―無限小は、同一にはならないかもしれない、と思ったのである。だが、過去の『ほら、ね!』の「「無」と「有」とそして」で記してあるが、「無」と「有」の無限に対し、「限界と思える集中力」と強い緊張感を味わったのである。そう、無限を体感すると、集中力と緊張感を得るのである。「「無」と「有」とそして」―のと同じ集中力と緊張感ではないが、弱めの同じ類なのである。前頭葉の豊かな思考空間は、「「無」と「有」とそして」であったか、解らないが、最大―無限大と最小―無限小は、同じ体感であったのである。

## ！単なる思うための、集中力ではないか？について

これがもし、同じ体感が、ただの、それのみでの集中力（の産物）でそうなった（体感）としたら、どう考えればよいのであろう。この前者の懐疑は、こう証明される。それは、「「無」と「有」とそして」の体感から、「無」と「有」は無限から成るものであり、今思えば、無限は、集中力を要する体感を必要とする―有するものである。と体験後、理解するのである。そして、無限大と無限小は、無限の形態であるから（Googleの無限に関する検索にて、知恵をお借りした）、本質的に変わらないから、無限大と無限小は、集中力を要する体感を必要とする―有するのである。それから、無限は、無限の論理から成っているし、無限の論理は、無限から成っている。「「無」と「有」とそして」の無限が集中力を要する体感を必要とする―有するならば、だから、その無限の論理は、集中力を要する体感を必要とする―有するのである。そして、同じように、無限は、無限の論理から成るし、無限の論理は、無限から成っているのである。無限の形態である、無限大と無限小は、無限の論理から、成る。だから、集中力を要する体感が得られるのである。ここでの、集中力を要する体感は、無限―無限の論理を、だから、無限・無限の論理―無限大と無限小を、体感していることなのである。私が体感したのは、無限大を体感し、同時に

無限と無限の論理を、体感したのである。これらは、別々に成ることはない。無限小を体感した時も、無限と無限の論理を同時に、体感したのである。これも、別々に成ることはない。

更に進めれば、その集中力を要する体感は、無限、無限の論理と切り離せない、ものである。無限、無限の論理を体感しているなら、集中力を要する体感を有するのであるし、集中力を要する体感が働いているなら、無限、無限の論理を体感していることなのである。

ということは、無限大と無限小は、無限の論理の、表現のあり方であり、論理の全体である。要は、無限大と無限小は、無限の論理から成る。だから、無限大と無限小に、集中力を要する体感が働くことは、当然である。だから、無限の形態である、無限大と無限小は、無限の論理を体感したことなのである。集中力を要する体感を、したことになるのである。―対立するものは、同一であり、対立したまま、である、と。（と記したが、体感では〝理解できない〟ある、体感なのである）無限―無限大と無限小の、無限の論理を体感することは、無限大と無限小を通して、集中力を要する体感が、全体である、無限の論理を、体感したのである。無限大が無限小と同じであると、無限小が無限大と同じであると、体感したのだ。

無限の論理のない、無限大と無限小が、単体で有ることはない。どういうことかと言うと、無限大と無限小は、無限の論理の、全体である。もう既に、無限の論理は成立しているのである。もし、単体で有るというのであれば、無限の論理を外側にも内側にも、浸透させ、成立されている、単体のである。もう既に、無限の論理は、無限は―無限大と無限小は、成立しているのである。無限大は無限小と同じであり、無限小は無限大と同じである。どちらも、そのままの無限大であり無限小である、のだ。と。

そのことから、無限で〝対立するものは、同一であり、対立したまま〟であるのである。無限大と無限小は、同一であり、無限大のまま、無限小のまま、である。無限大であり、無限小である。と同時に、無限小であり、無限大である、のである。無限の論理が、成り立つのだ。

（同じ体感であることを、意味させるため〝無限〟と記してある）の無限は、一概に、無意味ではなかったのである。

もし、何かに集中して、この私の言う表現の、体感を感じたなら、そこには、無限を、無限の論理を、得ている。ことを意味すると理解するのである。

おそらく、極論すれば、無限は、無限大・無限小のどちらかに分かれる。そして、「見つけました、魂を」やこの書での、無限の上と無限の下（一番上と一番下）は、無限の上が無限大に、無限の下が無限小に値する。無限の内と無限の外（一番内と一番外）は、無限の内が無限小に、無限の外が無限大に値する。要するに、これらが、同じ体感であっても、無限大・無限小の無限の論理に―対立しているものは、同一であり、対立したまま、に、変わりはない、ということである。無限の上と無限の下、無限の内と無限の外などは、無限の論理を満たすのである。思索が不十分なので、こうであろう、にとどめたい。
　この体感した論の、最後の語りになるが、体感したが、この体感についての論は、思索が不十分であるということから、〝こうであろう〟と論じられたものである。

## @振り返って

　こうして、「見つけました、魂を」を再び考えてきたが、「見つけました、魂を」では論理が不安定で飛んであるところがあり、そして、欠点もあり、正読すると、解り辛いものに、なっている。しかし、神秘体験をし、思索をし、無から創り上げた、奇跡と言う名の必然から、なっているものである。私の哲学である。どんなに欠点があろうと、恥じることのない、私にとって大切なもの——体感哲学である。

*

　この書は、私の哲学の中間発表である、作品である。この書も、欠点だらけであろう、が真理・真実にと論を運んだ作品である。哲学力不足は、真理・真実という信念のもと（やっている最中は、忘れているが）、お許し願いたい。私の哲学を論駁して頂き、私の問いに真理・真実をお知らせ願いたい。

＊

真の哲学書を創ろう。真の哲学者であろう。真の私であろう。そう、願うのである。

……

## 3.「見つけました、魂を」の「無」「有」テイスト

「見つけました、魂を」で隠れたところで、というか、無と有が絡む事態なのでこの書にて明らかにしたい。

**@こじ開けによって、有（階層的地層図）が無限化して復帰した時に、そのこじ開けによって、即に、同時に、無も無限になり、有と同時に〈存在〉すること**

図4を見て欲しい。図4は、無限にこじ開けた部分に無限の階層的地層図が復帰している図である。この図で無限にこじ開けた無意識的一瞬を考えると、こじ開けて逆三角形が何もなくなる。そのことは、図2から無限に向けてこじ開ける段階で「無」と言う場所が出来ていることに気付かれたい。その「無」がこじ開けによって無限に至り、そのことは、右に記した無意識的一瞬において、「無」が無限になるのである。そして、「有」（魂）である、無限の階層的地層図が復帰している。この場合も、無限の階層的地層図は、絶対の無限と相対・有限領域にて満たされている。ことを複雑化しないために、無限の階層的地層図の復帰は、この場では、絶対の無限のもの（魂）にすることにしよう。相対・有限

領域は置いておこう。

無限のこじ開けによって、無限の最も「無」が成立した。そして、それと同じになるかのように、無限の階層的地層図の絶対の無限の最も「有」（魂）が一つになるかのように、（〝最も〟を付けても、意味がないので、省略する）その場へ無限復帰する。これは図的なものであるが、その観点からすると、この「無」と「有」（魂）は、同じになるのである。絶対・無限に無があり、絶対・無限の有（魂）がある。それは、同一なのであることを、この、図4・図15α・図5・図5α・図9・図19などのこじ開けによって、一連の復帰などから、言えるのである。無であり、有（魂）でありながら。

「見つけました、魂を」やこの書の論理でもいい。互いは、無限・絶対であり、無限故に同じになるのである。絶対・無限の無、絶対・無限の有（魂）、双方は対立するが、そのことにより、同じ無限であり、同一になる。そして、対立したままである。これが、〈存在〉なのだ。〈存在〉とは、有るのであり、同時に無いのである。無いのであり、同時に、有るのである。このことを、〈存在〉という。右にて、「有（魂）」と記したが、魂も同じであり、魂であり―有であり、非魂である。これは、魂であり、無である。無であり、魂である。これを、〈魂〉と呼ぶ。これらのことは、右の図から、魂を見つけようとのこじ開け、図4・図5に関する図からのこじ開けから復帰までの展開で、理解できよう。まだ、あるが、止めておく。

相対・有限領域を迎えれば、こじ開けた無限の結果、「無」と無限階層的地層図の無限・絶対の「有」（魂）は、一つになり、対立したままである。そして、無限階層的地層図の絶対があることとは、無限だから、無限の論理から、相対（2.「「見つけました、魂を」を再び考えて」で、言ったように、全体として無限である。相対・有限領域の外部━大きさと、内部━小ささは無限である。それと、相対・有限領域は、相対・無限を含んでいるのだ）である。無限では同じなのだ。そう、そして、対立している。このように、「無」「有」（魂）━絶対と相対は、それぞれ、同じになる。そして、対立している。このことは、図5・図5α・図9・図19でも図8・図8αでも、同じことが言えるのである。図5・図5α・図9・図19は、そのこじ開けを通して、「無」と「有」が同じことは、理解できよう。そして「有」は絶対であり、無限であるから（「有」だけでない、「無」もであるが）、無限の論理から「絶対」であり、「相対」である、のである。相対は、相対・有限領域のことである。このようにして、世界は同じ場で、ある、のである。図8・図8αは、2.「「見つけました、魂を」を再び考えて」で、図5・図5α・図9・図19と同じ、ということであり、図5・図5α・図9・図19と同じ結論（同じことが言える）であることが、解る、と思う。この、無・有（魂）、有が絶対・無限領域で相対・有限領域であること、これらが世界を構成している。これが、〈世界〉なのであるのだ。このことから、〈世界〉は有るのであり、無いのである。無いのであり、有るのである。これが同時に成立して、真なり。これが、真理だ。

## @図7の中心に核が含まれたのが、魂だ　と言ったことを一言で論証しよう

前文章で、3.「見つけました、魂を」の「無」「有」テイストで、〝なぜ、図7αになるか〟をここで、論証すると記したのであり、一言、論証しよう。それは、核─無限無体、無であり、〈魂〉と考えると、そうなるのである。〈魂〉は魂であり、非魂─無である。そのことからも、魂は無限である。故に、魂であり非魂─無であるのだ。だから、図7には核が、無限無体─無であるが、含まれる。それと、核は日頃認識─階層的地層図の一部であり、世界であり、図5・図5α・図9・図19が核を含み、それが魂である。だから、図7も図7αになるべきなのである。という訳である。図7の魂は、核を、含むべきなのである。

## @全て、受け売りだ、と言ったが

私は、「見つけました、魂を」を創造し、基本的なことを─一番大きなものと一番小さなものは同じである、ということを、小学校の時に、体感したのであるが、〝無限で絶対である、対立するものが、無限の論理上丸くいき、対立するが同一になる、そして、対立したまま、である〟を「見つけました、魂を」やこの書で、展開している。「見つけました、魂を」を創造後、気付いたことであるが、〝対立するものが（絶対で矛盾するものが）、同一になる。そして、対立したまま、である〟ということを、生みだしたのは、日本を代表する哲学者、西田幾多郎さんであることを知る。〝絶対矛盾的自己同

一〟である。

が、私のは、基本的に、直接、矛盾概念になっておらず、大きい・小さいなどの反対概念である。反対である。反対概念には中間があるから、矛盾概念にはならない。しかし、私が意図したわけではないが、その中間を、大きいなら、大きいに同じにし、矛盾概念にしている。西田幾多郎さんと、同じものかもしれない。が、哲学者、西田幾多郎さんの著書を読んでいないため、わからないのである。このことが―絶対矛盾的自己同一を、よく解らないのであるが、私は、幼いころの体験から、無限による同一で理解してある。これは、哲学者、西田幾多郎さんと異なるところだと思う。そもそも、へぼ哲学であるため、日本を代表する哲学者、西田幾多郎さんと同じことを言った、と考える―思うことが失礼であると思うが。

「見つけました、魂を」やこの書では、大と小、上下など、反対概念もあるが、中心と外輪（内と外）、矛盾概念もある。しかし、反対概念は中間をどちらかと同じにし、矛盾概念に、偶然になっている。これは、意図的に、反対概念を矛盾概念にした訳ではなく、「見つけました、魂を」やこの書で、論理運びによりなったものである。それはそれとして、対立するものが、同じになる、そして、対立したまま。ということが、哲学者、西田幾多郎さんと同じことであることを、喜ばしく感じるが、私の場合、無限における、対立するものの同一であるのであることが異なるのか、異ならないのか、解らないのである。西田さんの著者を読んでいないため、解らないのである。だから、何とも言えない。

もし、同じものならば、「見つけました、魂を」やこの書で、記してある、〝全て、受け売りである〟ということで、許して頂きたい。私は、正直、基本的に、受け売りなどしたくないのである。もし、受け売りならば、光栄であると同時に、残念なことであるのだ。

このことが、とても、気になっていたため、ここで、語らせてもらった。

## 4.「経験と哲学の問い」

私は、26歳の時に、完全な精神病になった。そのことは、今まで経験して来たことが、リセットされることである。要するに、普通のことが、解らなくなるのである。

その時の私は、近くのコンビニにて、買い物をしようという時、人が恐いことやどういう風な手順でコンビニに入り商品を手にし、どのようにしてお金を出せばいいか（財布を手にして、お金を支払う時、パニックになり、手が震えていた）、コンビニに入る前に、シミュレーションしなければ、入ることが出来なかった。だけれども、人がいないところでの―アパートに居たり、した時は、普通の行動がある程度できた。

これは、今までして来たことの、行動の解体であると思うのである。このことは、世界、社会のありようが解らなくなることなのである。その時の私は、世界、社会に、問いだらけであり、その沢山ある問いを整理することも出来なかった。問いは、安らぎではなく、解らないことを示しており、不安で堪らなかった。人の怖さや行動の解体から、一日アパートに居ることが、ほとんどを占めた。食事をしなければいけないため、やむなく、コンビニへと行くのであり、玄関を開けると人が恐く、コンビニまで歩くのもままならなかったが、足を運んだ。このことが、嫌で嫌で、堪らなかった。

半年もすると、最初のころよりも、色々な事の恐れが消え、不安で怖いが、コンビニに行くことや、アパート以外で行動することに、ある程度慣れが生じた。それと共に、解らないという問いが反比例するように、感じられ無くなることを、感じた。

今は、49歳、コンビニに入ることなどは、容易く出来る。他のこともそうである。経験のおかげである。しかし、私は、26歳の頃から徐々に、経験が哲学的な問いを奪い去る、忘れさせてしまう、ことの恐れを感じていた（哲学者になりたい、私には）。経験は、哲学の敵である。いや、人間本来の問いを誤魔化す、カラクリを満たしている、悪者であると感じていた。でも、この歳になり、普通的な生活を出来ることは、普通で気楽なことである。そう思わせる、経験は怖いものである。

ああ、哲学的問いが感じられなくなったような気がする。間違いなく26歳の時のようには到底それらの問いを、感じられない。人間が生きていく上で経験は、大切なものである。そう理解できるが、経験に、操られていることも、忘れてはならないであろう。哲学者としては、これを忘れてはならないと思うのである。

経験よ、ありがとう。しかし、あなたの陰に隠れた、哲学の問いを暴いてみせる。でも、26歳の時のような、怖い思いをさせないでください。

# あとがき

今回の書は、『ほら、ね！』で、中心に掲載してある、「見つけました、魂を」を再び考えて、である、そのことを主体的に論じるために、書き下ろされた、書である。故に、本書の大部分のウエイトを占めている。

「見つけました、魂を」は、こういうことであった、とか、こういう風にも論展開できる。と、あくせくと、荒くなった論展開になっている。論理的に、至らない点が多々あった、と思う。言った点で、矛盾する点もあったと思う。哲学書として、不完全なものであろう。でも、仕方ない、私のこれが実力である。皆様方に、わかりやすく論展開をできていないのは、全て私の至らなさの産物なのである。それを、少しでも、大掛かりにも、手助けして頂いた編集の竹内さんには、深く感謝しています。この書を編集するにあたって、とても、苦しまれたことであろう。ありがとうございました。

今、私は脱力感で一杯である。自分を情けなく、思う。こんな書の、レベルで、出版をするなんて。ここで、言うことではなかろうが、今回の書も、多くの方に読まれないであろう。ということは、売れないであろう。私の書は、売れていないのである。そんなことを、言ってもしょうがない。私の書が、世に出すには、未熟、ということである。私は、哲学に精通したい。そして、皆様に、どうどうと、顔を上げたい。そうなるように、自らの哲学を磨きたい、と思う。

お金が整い次第、『不真面目な哲学者Ⅰ』（この書は、哲学書ではなく、随筆であるつもりであるが、哲学的かもしれない）を、文芸社さんの許しが出たなら、出版もするつもりである。しかし、これを書いている今、まだ、原稿は、出来ていないが。

こんな私の書を、救ってくださっている、文芸社さんにお詫びと感謝を伝えたい。今回もまた、ありがとうございました。何よりも、私の担当である、小野幸久さんにも、この気持ちで、一杯である。

6、7年の歳月が、この書ではかけられた。全体的に仕事をしながら、書いたものである。が、精神的にも限界でもあり、意を決して、平成30年3月31日をもって、退職し、この書と完全に向かい合った。―そう、「この書を書いては？」と言って下さった、前担当の大内友樹さんにも、お礼を言いたい。今頃、読まれていることだと、思われる。

読者の皆様にも、お読み下さり、ありがとうございました。この書にて、私の書にて、何か、得るものがあれば、と願う次第であります。私にとっては、貴重な読者であります。こんな、私のような人間もいるのだなあ、とお感じになられても、幸いです。

この書の最後になるが、未熟な書物であるが、私が、26歳から完全に開花した、才能に独学で努めてきた日々。今、49歳であるが、歩んできた道に、後悔はない。この書を、本当に出版できてよかった、と思うに違いない。何度も言うが、今、私は、脱力感で一杯である。一言、真の幸せとは、何なのか、解りませんが、どうか、皆さん、真のお幸せになられることを、願います。それを、実現するためには、私自身が、真の幸せにならなければ！

あっと、このことについて、触れなければならない、出身地を大分県に正してある。そして、生年月日は、1969年3月18日を（　）して、5月24日にしてある。1969年5月24日が私の正しい、生年月日である。何故、3月18日としたのかというと、22歳から28歳までの6年間、東京で一人暮らししていて（始めの4年間は仕事をしていたが）、その田舎に帰ってきた日にちが、1998年3月18日だったためである。東京には深い思い出がある。そのため、東京から田舎に帰って来た日を、忘れないために、記載したわけである。この場を借り、お詫びいたします。

その影響で出身地を東京都から大分県へ、生年月日を（　）して、5月24日としています。

平成30年8月24日　金曜日

**著者プロフィール**

**町山 青**（まちやま みどり）

大分県生まれ

生年月日：1969年3月18日（5月24日）

「無」「有」テイスト

—「見つけました、魂を」を再び考えて—

2021年11月15日　初版第1刷発行

著　者　町山 青

発行者　瓜谷 綱延

発行所　株式会社文芸社

〒160-0022　東京都新宿区新宿1－10－1

電話　03-5369-3060（代表）

03-5369-2299（販売）

印　刷　株式会社文芸社

製本所　株式会社MOTOMURA



ISBN978-4-286-20235-8